Jules Barbey d'Aurevilly

Le Chevalier Des Touches

Grands Écrivains

A MON PÈRE

Que de raisons, mon père, pour Vous dédier ce livre qui Vous rappellera tant de choses dont Vous avez gardé la religion dans Votre cœur ! Vous en avez connu l'un des héros, et probablement Vous eussiez partagé son héroïsme et celui de ses onze Compagnons d'armes, si Vous aviez eu sur la tête quelques années de plus au moment où l'action de ce drame de guerre civile s'accomplissait ! Mais alors Vous n'étiez qu'un enfant, — l'enfant dont le charmant portrait orne encore la chambre bleue de ma grand-mère, et qu'elle nous montrait, à mes frères et à moi, dans notre enfance, du doigt levé de sa belle main, quand elle nous engageait à Vous ressembler.

Ah ! certainement, c'est ce que j'aurais fait de mieux, mon père ! Vous avez passé Votre noble vie comme le Pater familias antique, maître chez Vous, dans un loisir plein de dignité, fidèle à des opinions qui ne triomphaient pas, le chien du fusil abattu sur le bassinet, parce que la guerre des Chouans s'était éteinte dans la splendeur militaire de l'Empire et sous la gloire de Napoléon. Je n'ai pas eu cette calme et forte destinée. Au lieu de rester ainsi que Vous, planté et solide comme un chêne dans la terre natale, je m'en suis allé au loin, tête inquiète, courant follement après le vent, dont parle l'Ecriture, et qui passe, hélas ! à travers les doigts de la main de l'homme, également partout ! Et c'est de loin encore que je Vous envoie ce livre qui Vous rappellera, quand Vous le lirez, des contemporains et des compatriotes infortunés auxquels le Roman, par ma main, restitue aujourd'hui leur page d'histoire.

Votre respectueux et affectionné fils.

JULES BARBEY D'AUREVILLY.

Ce 21 novembre 1863.

CHAPITRE PREMIER

TROIS SIÈCLES DANS UN PETIT COIN

C'était vers les dernières années de la Restauration. La demie de huit heures, comme on dit dans l'Ouest, venait de sonner au clocher, pointu comme une aiguille et vitré comme une lanterne, de l'aristocratique petite ville de Valognes. Le bruit de deux sabots traînants, que la terreur ou le mauvais temps semblaient hâter dans leur marche mal assurée, troublait seul le silence de la place des Capucins, déserte et morne alors, comme la *lande du Gibet* elle-même. Tous ceux qui connaissent le pays n'ignorent pas que la *lande du Gibet*, ainsi appelée parce qu'on y pendait autrefois, est un terrain, qui fut longtemps abandonné, à droite de la route qui va de Valognes à Saint-Sauveur-le-Vicomte, et qu'une superstition traditionnelle la faisait éviter au voyageur... Quoiqu'en aucun pays, du reste, huit heures et demie ne soient une heure indue et tardive, la pluie qui était tombée, ce jour-là, sans interruption, la nuit, – on était en décembre, – et aussi les mœurs de cette petite ville, aisée, indolente et bien close, expliquaient la solitude de la place des Capucins et pouvaient justifier l'étonnement du bourgeois rentré, qui peut-être, accoté sous ses contrevents strictement fermés, entendait de loin ces deux sabots, grinçants et haletants sur le pavé humide et au son desquels un autre bruit vint impétueusement se mêler.

Sans doute, en tournant la place, sablée à son centre et pavée sur ses quatre faces, et en longeant la porte cochère vert bouteille de l'hôtel de M. de Mesnilhouseau, qu'on on avait, à cause de sa meute, surnommé Mesnilhouseau *des chiens*, les sabots qu'on entendait réveillèrent cette compagnie des gardes endormie, car de longs hurlements éclatèrent par-dessus les murs de la cour, et se prolongèrent avec la mélancolie désolée qui caractérise le hurlement des chiens dans la nuit. Ce long pleur, monotone et désespéré des chiens, qui essayèrent de fourrer leur nez et leurs pattes sous la colossale porte cochère, comme s'ils avaient senti sur la place quelque chose d'insolite et de formidable, cette noire soirée, ce vent dans la pluie, cette place solitaire, qui n'était pas grande, il est vrai, mais qui, de riante qu'elle était autrefois, quand elle ressemblait à un square anglais, avec ses arbres plantés en carré et ses blanches balises, était devenue presque terrible, depuis qu'en 182... on avait dressé au milieu une croix sur laquelle, colorié grossièrement, se tordait, en saignant, un Christ de grandeur naturelle ; tous ces accidents, tous ces détails pouvaient réellement impressionner le passant aux sabots, qui marchait sous son parapluie, incliné contre le vent, et dont l'eau qui tombait frappait la soie tendue de ses gouttes sonores, comme si elles eussent été des grains de cristal.

Supposez, en effet, que ce passant inconnu fût une personne d'une imagination naïve et religieuse, une conscience tourmentée, une âme en deuil, ou simplement un de ces êtres nerveux, comme il s'en rencontre à tous les étages de l'amphithéâtre social, on conviendra qu'il y avait assez dans les détails qu'on vient de signaler, mais surtout dans l'image de ce Dieu sanglant qui, le jour, grâce à la grossièreté de la peinture, épouvantait le regard, sous les joyeux rayons du soleil, et qu'on savait là, sans le voir, étendant ses bras dans la nuit, pour faire pénétrer le frisson jusque dans les os et doubler les battements du cœur. Mais, comme s'il avait fallu davantage, voici qu'un fait étrange, — dans cette petite ville où, à pareille heure, les mendiants dormaient bien acoquinés dans leur paille, et où les voleurs de rue, les gentilshommes de grand chemin, étaient à peu près inconnus, oui, un fait extraordinaire vint à se produire tout à coup... De la rue Siquet au milieu de la place des Capucins, la lanterne qui projetait sa pointe de lumière sous le parapluie incliné s'éteignit, juste en face du grand Christ. Et ce n'était pas le vent qui l'avait soufflée, mais une haleine ! Les nerfs d'acier qui tenaient cette lanterne l'avaient élevée jusqu'à la hauteur de quelque chose d'horrible, qui avait parlé. Oh ! ce n'avait pas été long ! un instant ! un éclair ! Mais il est des instants dans lesquels il tiendrait des siècles ! C'est à ce moment-là que les chiens avaient hurlé. Ils hurlaient encore, quand une petite sonnette tinta à la première porte de la rue des Carmélites, qui est à l'extrémité de la place, et quand la *personne aux sabots* entra, mais sans sabots, dans le salon des demoiselles de Touffedelys, qui l'attendaient pour leur causerie du soir.

Elle, ou plutôt *il* (car c'était un homme), était

chaussé avec l'élégance d'un abbé de l'Ancien
Régime, comme on disait beaucoup alors, et
d'ailleurs, quoi d'étonnant, puisque c'en était un ?

— J'ai entendu votre *voiture*, l'abbé, dit la cadette des Touffedelys, mademoiselle Sainte, qui,
dans son impossibilité absolue d'inventer le
moindre petit mot quelconque, répétait la plaisanterie de l'abbé, quand il parlait de ses sabots.

L'abbé donc qui s'était débarrassé à la porte du
vestibule d'une longue redingote de bougran
vert, mise par-dessus son habit noir, s'avança dans
le petit salon, droit, imposant, portant sa tête
comme un reliquaire et faisant craquer ses sou-
liers de maroquin, préservés par les sabots de
l'humidité. Quoiqu'il vînt d'éprouver une de ces
impressions qui sont des coups de foudre, il
n'était ni plus pâle ni plus rouge qu'à l'ordinaire,
car il avait un de ces teints dont la couleur semble
avoir l'épaisseur de l'émail et que l'émotion ne
traverse pas. Déganté de sa main droite, il offrit à
la ronde deux doigts de cette main aux quatre
personnes qui étaient là autour de la cheminée, et
qui s'interrompirent pour le recevoir.

Mais quand il eut donné ces deux doigts à la
dernière personne de ce petit cercle :

— Il y a quelque chose, mon frère ! s'écria
celle-ci en tressaillant (à quoi le voyait-elle ?) ;
mais vous n'êtes pas dans votre état naturel, ce
soir !

— Il y a, dit l'abbé d'une voix ferme, mais
grave, que tout à l'heure le vieux sang d'Hotspur
a failli avoir presque peur.

Sa sœur le regarda d'un air incrédule ; mais
mademoiselle de Touffedelys, qui, elle, aurait cru
qu'un bœuf pouvait voler, si on le lui avait dit, et

qui se serait même mise à la fenêtre pour le voir, mademoiselle Sainte de Touffedelys, qui n'avait pas lu Shakespeare et qui n'avait compris que le mot de *peur* dans tout ce qu'avait dit l'abbé :

— Sainte Marie ! qu'y a-t-il ? fit-elle. Auriez-vous vu en passant l'âme du Père Gardien des Capucins rôder autour de la place ? Les chiens de M. de Mesnilhouseau se lamentent ce soir comme quand elle y est... ou quand le Marteau Saint-Bernard *toque* ses trois coups à la porte de la cellule de quelqu'une des Dames Bernardines, dans le couvent qui est à côté.

— Pourquoi dites-vous cela à l'abbé, ma sœur ? dit Ursule de Touffedelys d'un ton d'aînée qui reprend sa cadette ; vous savez bien que l'abbé, qui est allé en Angleterre, ne croit pas aux revenants.

— Et pourtant, sur mon âme ! c'est un revenant que j'ai vu, dit l'abbé avec un sérieux profond. Oui, mademoiselle, oui, ma sœur, oui, Fierdrap ! oui, regardez-moi maintenant de tous vos yeux, écarquillés à vous en donner la migraine, c'est comme j'ai l'honneur de vous le dire ; je viens de voir un revenant... inattendu, effrayant, mais réel ! trop réel ! Je l'ai vu comme je vous vois tous, comme je vois ce fauteuil et cette lampe...

Et il toucha le pied de la lampe du bout de sa canne, un cep de vigne, qu'il alla déposer dans un coin.

— Tu aimes diablement la plaisanterie pour que je te donne le plaisir de te croire, l'abbé ? dit le baron de Fierdrap, quand l'abbé revint à la cheminée et se planta, les mollets et le dos au feu, devant le fauteuil qui lui tendait les bras.

— Etait-ce vraiment le Père Gardien ?... reprit

mademoiselle Sainte toute transie, car elle cuisait
de curiosité et se sentait pourtant le froid d'un
glaçon dans les épaules.

— Non ! répondit l'abbé, qui s'arrêta, l'œil sur
les feuilles du parquet ciré et miroitant, comme
s'arrête un homme qui médite ce qu'il va dire, et
qui hésite avant de le risquer.

Il resta debout, ajusté par les yeux des quatre
personnes assises, qui, du regard, aspiraient
presque ce qui n'était pas encore sorti de sa
bouche, excepté pourtant le baron de Fierdrap,
qui croyait, lui, à une mystification et qui clignait
l'œil d'un air fin, comme s'il avait dit : « Je te
comprends, mon compère ! » Le salon n'était
éclairé que par le demi-jour d'une lampe, recueil-
lie sous son chapiteau. Pour mieux voir et deviner
l'abbé, une de ces dames leva le chapiteau à
l'ombre importune, et le salon fut soudainement
inondé de ce jour de lampe qui a comme les tons
gras de l'huile dans son or.

C'était un vieil appartement comme on n'en
voit guère plus, même en province, et d'ailleurs
tout à fait en harmonie avec le groupe qui, pour le
moment, s'y trouvait. Le nid était digne des
oiseaux. A eux tous, ces vieillards réunis autour
de cette cheminée formaient environ trois siècles
et demi, et il est probable que les lambris qui les
abritaient avaient vu naître chacun d'eux.

Ces lambris en grisailles, encadrés et relevés
par des baguettes d'or noircies et, par place,
écaillées, n'avaient pour tout ornement de leur
fond monotone que des portraits de famille sur
lesquels la brume du temps avait passé. Dans l'un
de leurs panneaux on voyait deux femmes en
costume Louis XV, dont l'une, blonde et pincée,

tenait à la main une tulipe comme Rachel, la
dame de carreau, et dont l'autre, brune, indolente, tigrée de mouches sur son rouge de brune,
avait une étoile au-dessus de la tête, ce qui, avec le
faire voluptueux du portrait, indiquait suffisam-
ment la main de Nattier, qui peignit aussi avec
une étoile au-dessus de la tête madame de Châ-
teauroux et ses sœurs. L'étoile signifiait le règne
du moment de la favorite. C'était l'étoile du
berger royal. Le bien-aimé Louis XV l'avait fait
lever sur tant de têtes, qu'il avait pu très bien la
faire luire sur une Touffedelys. Dans le panneau
opposé, un portrait plus ancien, plus noir, d'une
touche énergique, mais inconnue, représentait
l'amiral de Tourville, beau comme une femme
déguisée, dans son magnifique et bizarre costume
d'amiral du temps de Louis XIV. Il était parent
des Touffedelys. Des encoignures de laque de
Chine garnissaient les quatre angles du salon et
supportaient quatre bustes d'argile, recouverts
d'un crêpe noir, soit pour les préserver de la
poussière, soit en signe de deuil, car ces bustes
étaient ceux de Louis XVI, de Marie-Antoinette,
de madame Elisabeth et du Dauphin. Des fauteuils, en vieille tapisserie de Beauvais, traduisant
les fables de La Fontaine en double ovale, sur un
fond blanc, égayaient de la variété de leurs
couleurs et de leurs personnages cet appartement
presque sombre avec ses rideaux fanés de lampas
et sa rosace, veuve de son lustre. Aux deux côtés
d'une cheminée en marbre de Coutances canne-
lée et surmontée d'un bouquet en relief, ces deux
demoiselles de Touffedelys, droites sous leurs
écrans de gaze peinte, auraient pu très bien passer
pour des ornements sculptés de cette cheminée, si

leurs yeux n'avaient pas remué et si ce que venait
de dire l'abbé n'avait terriblement dérangé la
solennelle économie de leur figure et de leur
pose.

Toutes deux avaient été belles, mais l'antiquaire le plus habile à deviner le sens des
médailles effacées n'aurait pu retrouver les lignes
de ces deux camées, rongés par le temps et par le
plus épouvantable des acides, une virginité aigrie.
La Révolution leur avait tout pris, famille, fortune, bonheur du foyer et ce poème du cœur,
l'amour dans le mariage, plus beau que la gloire,
disait madame de Staël, et enfin la maternité !
Elle ne leur avait laissé que leurs têtes, mais
blanchies et affaiblies par tous les genres de
douleur. Orphelines, quand elle éclata, les deux
Touffedelys n'avaient point émigré. Elles étaient
restées comme beaucoup de nobles, dans le
Cotentin. Imprudence qu'elles auraient payée de
leur vie, si Thermidor ne les avait sauvées, en
ouvrant les maisons d'arrêt. Vêtues toujours des
mêmes couleurs, se ressemblant beaucoup, de la
même taille et de la même voix, c'était comme
une répétition dans la nature que ces demoiselles
de Touffedelys.

En les créant presque identiques, la vieille
radoteuse avait rabâché. C'étaient deux Ménech-
mes femelles qui auraient pu faire dire aux
moqueurs : « Il y en a au moins une de trop ! »
Elles ne le trouvaient point, car elles s'aimaient ;
et elles se voulaient en tout si semblables que
mademoiselle Sainte avait refusé un beau mariage, parce qu'il ne se présentait pas de mari
pour mademoiselle Ursule, sa sœur.

Ce soir-là comme à l'ordinaire, ces routinières

de l'amitié avaient dans leur salon une de leurs amies, noble comme elles, qui travaillait à la plus extravagante tapisserie avec une telle action qu'elle semblait se ruer à ce travail, suspendu tout à coup par l'arrivée de son frère, l'abbé. Fée plus mâle, aux traits plus hardis, à la voix plus forte, celle-ci tranchait par la brusquerie *hommasse* de toute sa personne sur la délicatesse et l'inertie de ces douces Contemplatives, de ces deux vieilles chattes blanches de la rêverie, sans idées, qui n'avaient jamais été des Chattes Merveilleuses. Ces pauvres vierges de Touffedelys avaient eu le suave éclat de leur nom dans leur jeunesse ; mais elles avaient vu fondre leur beauté au feu des souffrances, comme le cierge voit fondre sa cire sur le pied d'argent du chandelier.

A la lettre, elles étaient fondues..., tandis que leur amie, robustement et rébarbativement laide, avait résisté. Solide de laideur, elle avait reçu le soufflet, l'*alipan* du Temps, comme elle disait, sur un bronze que rien ne pouvait entamer. Même la mise inouïe dans laquelle elle encadrait sa laideur bizarre n'en augmentait pas de beaucoup l'effet, tant l'effet en était frappant ! Coiffée habituellement d'une espèce de baril de soie, orange et violette, qui aurait défié par sa forme la plus audacieuse fantaisie, et qu'elle fabriquait de ses propres mains, cette contemporaine de mesdemoiselles de Touffedelys ressemblait, avec son nez recourbé comme un sabre oriental dans son fourreau grenu de maroquin rouge, à la reine de Saba, interprétée par un Callot chinois, surexcité par l'opium. Elle avait réussi à diminuer la laideur de son frère, et à faire passer le visage de l'abbé pour un visage comme un autre, quoique,

certes ! il ne le fût pas ! Cette femme avait un
grotesque si supérieur qu'on l'eût remarquée
même en Angleterre, ce pays des grotesques, où le
spleen, l'excentricité, la richesse et le gin travail-
lent perpétuellement à faire un carnaval de figures auprès desquelles les masques du carnaval de
Venise ne seraient que du carton vulgairement
badigeonné.

Comme il est des couleurs d'un tel ruisselle-
ment de lumière qu'elles éteignent toutes celles
que l'on place à côté, l'amie de mesdemoiselles de
Touffedelys, pavoisée comme un vaisseau barba-
resque des plus éclatants chiffons, déterrés dans
la garde-robe de sa grand-mère, éteignait, effaçait
les physionomies les plus originales par la sienne.
Et cependant, l'abbé et le baron de Fierdrap
étaient, ainsi qu'on va le voir, de ces individualités
exceptionnelles qui entrent violemment dans la
mémoire lorsqu'on les a rencontrées, et dont
l'image y est restée, comme une patte-fiche dans
un mur. Il n'y a qu'au versant d'un siècle, au
tournant d'un temps dans un autre, qu'on trouve
de ces physionomies qui portent la trace d'une
époque finie dans les mœurs d'une époque
nouvelle, et forment ainsi des originalités qui
ressemblent à cet airain de Corinthe, fait avec des
métaux différents. Elles traversent rapidement les
points d'intersection de l'histoire, et il faut se
hâter de les peindre quand on les a vues, parce
que, plus tard, rien ne saurait donner une idée de
ces types, à jamais perdus !

Le baron de Fierdrap, placé entre les deux
demoiselles de Touffedelys, et plus particulièrement à côté de la sœur de l'abbé, qui, la tête sur sa
tapisserie, tirait la laine de chaque point avec une

furie effrayante pour l'observateur rétrospectif,
car elle avait dû, autrefois, faire tout comme elle
tirait sa laine ; le baron de Fierdrap, Hylas de
Fierdrap, était assis, les jambes croisées, une main
sous sa cuisse, comme le grand lord Clive, et
présentait au feu la semelle d'un pied, chaussé
d'une guêtre de casimir noir. C'était un homme
d'une taille médiocre, mais vigoureux et râblé
comme un vieux loup, dont il avait le poil, si l'on
en jugeait par la *brosse* hérissée, courte et fauve de
sa perruque. Son visage accentué s'arrêtait dans
un profil ferme : un vrai visage de Normand, rusé
et hardi. Jeune, il n'avait été ni beau ni laid.
Comme on dit assez drôlement en Normandie
pour désigner un homme qu'on ne remarque ni
pour ses défauts naturels, ni pour ses avantages :
« Il allait à la messe avec les autres. » Il exprimait
bien le modèle sans alliage de ces anciens hobe-
reaux, que rien ne pouvait ni apprivoiser ni décras-
ser, et qui, sans la Révolution, laquelle roula cette
race de granit d'un bout de l'Europe à l'autre bout
sans la polir, seraient restés dans les fondrières de
leur province, ne pensant même pas à aller au
moins une fois à Versailles, et, après être montés
dans les voitures du roi, à reprendre le coche et
à revenir. Chasseur comme tous les gentilshommes terriens, chasseur enragé, quel que fût le poil
de la bête ou la plume, il avait fallu cette fin du
monde de la Révolution pour arracher Hylas de
Fierdrap à ses bois et à ses marais. Gentilhomme
avant tout, dès que les premières quenouilles
eurent circulé dans le pays, il offrit à l'armée
de Condé un volontaire qui savait porter gaillardement, pendant trente lieues de route, un fusil
à deux coups sur la carrure de son épaule, et qui,

des balles de son double canon, eût aussi bien
coupé le bec à une bécassine qu'abattu un san-
glier, en le frappant entre les deux yeux. Lorsque
l'armée de Condé avait été licenciée et qu'il n'y
eut plus rien dans la poire à poudre de ce dernier
des *Chasseurs du Roi*, le baron de Fierdrap était
passé en Angleterre, cette terre de l'excentricité, et
c'est là qu'il avait contracté, disait-on, ces manières d'être, qui le firent regarder, sur ses vieux
jours, comme un original par ceux qui l'avaient
connu *ressemblant à tout le monde* dans sa jeunesse.

Le fait est que comme le chat du bonhomme
Misère (autre dicton normand), il ne ressemblait
plus à personne. Ayant perdu tout, ou à peu près,
de sa fortune patrimoniale, il vivait comme il
pouvait de quelques bribes et de la maigre pen-
sion qu'octroya la Restauration aux pauvres chevaliers de Saint-Louis, qui avaient suivi héroï-
quement la maison de Bourbon à l'étranger et
partagé sa triste fortune. Il avait moins souffert
que bien d'autres de cette vie dénuée. Ses besoins
n'étaient pas nombreux. Il avait une santé de
fer, que l'exercice et le grand air avaient rendue
d'une solidité qui paraissait indestructible. Il habitait une petite maison, aux écarts du bourg voisin de Saint-Sauveur-le-Vicomte, sans domestique
qu'une vieille femme qui allait parfois balayer
son logis, et on ne dira pas « faire son lit », car il
n'en avait pas, et il couchait dans un hamac qu'il
avait rapporté d'Angleterre. Sobre comme un
anachorète et presque ichtyophage, il se nourrissait de sa pêche, étant devenu sur le tard de ses
jours un pêcheur aussi infatigable qu'il avait été
un indomptable chasseur dans la première moitié

de sa vie. Toutes les rivières du pays le connaissaient et le voyaient incessamment sur leurs bords
à dix lieues à la ronde, un paquet de longues
lignes sur son épaule et à la main un vase de
fer-blanc, d'une forme allongée comme la boîte
au lait des laitières, et dans lequel il mettait sous
une couche de terreau les vers de jardin qu'il
accrochait à ses hameçons. Il pêchait aussi à la
mouche, cette chasse écossaise, cette chasse en
marchant dont il avait pris l'habitude en Ecosse, et
qui émerveillait les paysans du Cotentin, à qui
cette pêche était, avant lui, inconnue, quand ils le
voyaient courir sur la rive, en remontant ou en
descendant les rivières, et figurer le vol de la
mouche, en maintenant toujours son hameçon à
quelques pouces du fil de l'eau, avec un aplomb
de main et de pied qui tenait vraiment du pro-
dige !

Ce soir-là, comme presque tous les soirs, lorsqu'il se trouvait à Valognes et que ses pêches
errantes ne l'entraînaient pas, il allait passer la
soirée chez ces demoiselles de Touffedelys. Il y
apportait sa boîte à thé et sa théière, et il y faisait
son thé devant elles, ces pauvres primitives, à qui
l'émigration n'avait pas donné de ces goûts étonnants, comme « l'amour de ces petites feuilles
roulées dans de l'eau chaude » qui ne valaient pas,
disaient-elles d'une bouche pleine de sagesse, « *la
liqueur verte* de la Chartreuse contre les indiges-
tions ». Infatigables dans leur étonnement, elles
retrouvaient à point nommé l'attention animale
des êtres qui ne sont pas éducables, en regardant
chaque soir de leurs deux yeux faïencés, grands
ouverts comme des œils-de-bœuf, cet *original* de
Fierdrap procédant à son infusion accoutumée,

comme s'il s'était livré à quelque effrayante alchimie ! L'abbé, cet abbé qui venait d'entrer comme un événement et dont ces dames épiaient la parole, trop lente à tomber de ses lèvres, comme s'il eût voulu exaspérer leur curiosité excitée, l'abbé seul osait toucher au breuvage *hérétique* du baron de Fierdrap. Lui aussi, comme l'avait dit mademoiselle Ursule de Touffedelys, était allé en Angleterre. Pour ces sédentaires de petite ville, pour ces culs-de-jatte de la destinée, c'eût été comme d'aller à La Mecque, si de La Mecque elles avaient jamais entendu parler !... ce qui était plus que douteux. L'abbé, du reste, n'avait pour personne l'originalité caricaturesque de M. de Fierdrap, lequel était un personnage digne du pinceau d'Hogarth, par le physique et par le costume. Le grand air, qui, comme on l'a dit, avait rendu le baron de Fierdrap invulnérable jusque dans le fin fond de sa charpente et de sa moelle, avait seulement teinté le marbre qu'il avait durci, et, pour toute victoire et trace de son passage sur ce quartz impénétrable de chair et de peau qui n'avait jamais eu ni un rhume ni un rhumatisme, avait laissé, comme une moquerie et une revanche pleine de gaieté, trois superbes engelures qui s'épanouissaient du nez aux deux joues du baron, comme le trèfle d'une belle giroflée en fleur ! Etait-ce averti par cette chique-naude taquine du grand air qu'il bravait tous les jours, soit dans les brouillards de la Douve, soit sous les ponts de Carentan, et partout où il y avait des dards et des tanches à récolter, que M. de Fierdrap portait sept habits, les uns sur les autres, et qu'il appelait ses *sept coquilles*, personne n'étant tenté de justifier ce nombre sacramentel et

mystérieux ?... Mais toujours est-il que, même
dans le salon de mesdemoiselles de Touffedelys,
il gardait son spencer de reps gris, doublé de
peaux de taupe par-dessus son habit couleur de
tabac d'Espagne, à la boutonnière duquel pendait, sous sa croix de Saint-Louis, un petit manchon de velours noir, sans fourrure, dans lequel il
aimait, en parlant, à plonger les mains, qu'il avait
gourdes, comme Michel Montaigne.

L'ami et le compagnon d'émigration du baron
de Fierdrap, et que celui-ci regardait alors comme
Morellet aurait regardé Voltaire, s'il l'eût tenu
chez le baron d'Holbach dans une petite soirée
intime, cet abbé, qui complétait les trois siècles et
demi, rassemblés dans ce coin, était bien un
homme de la même race que le baron, mais il était
bien évident qu'il le dominait, comme M. de
Fierdrap dominait ces demoiselles de Touffedelys et la sœur de l'abbé elle-même. De ce cercle,
l'abbé était l'aigle, et d'ailleurs, dans tous les
mondes, il en eût été un, quand même le cercle,
au lieu de ce vieux héron de Fierdrap, de ces oies
candides des Touffedelys, et de cette espèce de
cacatoès huppé qui travaillait à sa tapisserie,
aurait été composé, en fait de femmes charmantes
et d'hommes rares, de flamants roses et d'oiseaux
de paradis. L'abbé était une de ces belles inutili-
tés, comme Dieu, qui joue *le Roi s'amuse* dans des
proportions infinies, se plaît à en créer pour lui
seul. C'était un de ces hommes qui passent,
semant le rire, l'ironie, la pensée, dans une société
qu'ils sont faits pour subjuguer, et qui croit les
avoir compris et leur avoir payé leurs gages, en
disant d'eux : « L'abbé un tel, monsieur un tel,
vous en souvenez-vous ? était un homme d'un

diable d'esprit. » A côté de ceux dont on parle
ainsi, cependant, il y a des illustrations et des
gloires, achetées avec la moitié de leurs facultés !
Mais eux ! l'oubli doit les dévorer, et l'obscurité
de leur mort parachève l'obscurité de leur vie, si
Dieu (toujours *le Roi s'amuse* !) ne jetait parfois un
enfant entre leurs genoux, une tête aux cheveux
bouclés, sur laquelle ils posent un instant la main,
et qui, devenue plus tard Goldsmith ou Fielding,
se souviendra d'eux dans quelque roman de
génie, et paraîtra créer ce qu'elle aura simplement
copié, en se ressouvenant.

Cet abbé, qu'on ne nommerait pas si, à cette
heure, sa famille, dont il était le dernier rejeton,
n'était éteinte, du moins en France[1], portait le
nom de ces Percy normands, dont la branche
cadette a donné à l'Angleterre ses Northumberland et cet Hotspur (auquel il venait de faire
allusion), l'Ajax des chroniques de Shakespeare.
Quoiqu'il n'eût rien dans sa personne qui rappe-
lât son héroïque et romanesque parentage, quoiqu'on sentît surtout en lui les amollissantes in-
fluences et les égoïstes raffinements de la société
du dix-huitième siècle, dans laquelle, jeune, il
avait vécu, cependant l'empreinte ineffaçable
d'un commandement exercé par tant de généra-
tions, se reconnaissait par la manière dont l'abbé
de Percy portait sa tête, plus irrégulière que celle
de M. de Fierdrap, mais d'une tout autre physionomie. L'abbé, moins laid que sa sœur, laide
comme le péché, quand il est scandaleux, était

---

1. L'auteur s'était trompé. Le dernier descendant mâle de ces
nobles Percy vit encore dans le département du Nord. *(Note de
l'Auteur.)*

laid, lui, comme le péché quand il est plaisant. Le croira-t-on ? cet abbé recouvrait le plus drôle d'esprit de manières presque majestueuses. C'était là le signe par lequel il étonnait et charmait toujours. La gaieté qui a de la grâce a rarement de la dignité et elle semble l'exclure. Mais, chez l'abbé de Percy, cette gaieté à la Beaumarchais, cette gaieté d'oncle commendataire d'Almaviva, qui aurait battu ce polisson de Figaro dans l'intrigue et dans la repartie, cette verve inouïe partant d'un fond de grand seigneur, qui ne cessait pas un seul instant de rayonner dans sa personne, causait un plaisir d'autant plus vif par le contraste et faisait de lui une de ces raretés qu'on ne rencontre pas deux fois. Hélas ! au point de vue des ambitions positives de la vie, cet esprit ravissant ne lui avait servi à rien. Au contraire, il lui avait nui, comme son blason.

Victime de la Révolution, autant que son ami M. de Fierdrap ; victime d'une thèse grecque en Sorbonne, qu'il avait mieux soutenue que son autre ami, M. d'Hermopolis, lequel s'en était souvenu quand il avait été ministre (les haines de clerc à clerc sont les bonnes) ; victime enfin de son esprit trop animé et trop charmant pour être assez sacerdotal, l'abbé de Percy avait manqué sa fortune ecclésiastique et toutes ses fortunes, et n'avait pu, malgré le crédit de son cousin, le duc de Northumberland, qui représentait l'Angleterre au sacre du roi Charles X, parvenir à autre chose, pour les jours de sa vieillesse, qu'à un simple canonicat de Saint-Denis, de second degré, avec dispense de résider au Chapitre. Au déclin de l'âge, la Normandie lui était repassée dans le souvenir, parée du charme des jours évanouis ; et lui, qui s'était mêlé aux plus hautes sociétés de France et d'Angleterre et qui avait joué sa partie d'homme d'esprit avec les plus grands et les plus brillants esprits qui eussent jouté en Europe depuis quarante ans, il était revenu vivre parmi les bonnes judiciaires du Cotentin, claquemuré dans une petite maison, ornée avec goût et qu'il appelait son *hermitage*. Il n'en sortait que pour aller passer des huitaines chez tous les châtelains des alentours.

C'était un grand dîneur. Mais sa naissance, son formidable esprit, ses manières, excluaient toute idée de parasitisme dans ce modeste piéton qu'on rencontrait, comme le baron de Fierdrap, non pas au bord de toutes les rivières, mais sur toutes les routes, allant faire quelque pèlerinage à la Notre-Dame de la cuisine des châteaux les plus renommés par leur hospitalité et par leur bonne chère.

Ces dîners, qu'il avait toujours aimés, avaient foncé la teinte d'écrevisse cuite de son visage, et justifiaient ce qu'il disait de cette éclatante couleur rouge, allumée par le porto de l'émigration et le bourgogne de la patrie retrouvée : « Il est probable que voilà la seule pourpre que j'aurai jamais à porter ! »

Le front, le nez, qu'il avait busqué et immense, un nez de grande maison, les joues, le menton, tout était de cette magnifique teinte *cardinalice*, qui ne contrastait dans ce visage, fiévreusement taillé à l'ébauchoir, mais saisissant d'expression, qu'avec le bleu des yeux, un bleu fantastique, perlé, scintillant, acéré ; un bleu qu'on n'avait vu étinceler nulle part, sous les sourcils de personne, et auquel un peintre de génie, qui ne l'aurait pas vu, croirait seul !

Les yeux de l'abbé de Percy n'étaient pas des yeux : c'étaient deux petits trous ronds, sans sourcils, sans paupière, et la prunelle de ce bleu, impatientant à regarder (tant il était vif !), était si disproportionnée et si large que ce n'était pas l'orbe de la prunelle qui tournait sur le blanc de l'œil, mais la lumière qui faisait une perpétuelle et rapide rotation sur les facettes de saphir de ces yeux de lynx... Les verra-t-on d'ici, ces yeux-là ?... Mais quand on les avait vus en réalité, on ne pouvait plus les oublier. Ce soir-là ils pétillaient, semblait-il, encore plus qu'à l'ordinaire, en regardant les curieuses que l'abbé, toujours debout, affolait par l'affectation de son silence. Au lieu de répondre aux questions haletantes de mesdemoiselles de Touffedelys, il passait, selon son usage, sa langue de gourmet sur ses lèvres épaisses et juteuses, comme s'il y avait cherché des saveurs perdues. Il venait de dîner en ville et il avait sa tenue solennelle et officielle de tous les soirs. Il portait un habit noir carré, une cravate blanche, sans rabat, ni manteau, ni calotte. Ses longs cheveux, fins et blancs comme le duvet d'un cygne, roulés et gonflés avec une coquetterie qui rappelait celle de Talleyrand, — de Talleyrand que, par parenthèse, il abhorrait moins pour toutes ses autres apostasies que pour avoir signé la *Constitution civile du clergé*, — ses cheveux poudrés et floconneux tombaient richement sur le col de son habit noir et poudraient, à leur tour, de leur iris parfumé, le large ruban violet, liséré de blanc, qui suspendait à son cou sa grande croix émaillée de Chanoine Royal. Campé solidement sur ses jambes en bas de soie, assez bien tournées, mais de deux galbes différents, et dont il appelait l'une

Apollon et l'autre *Hercule* avec une fidélité à la mythologie qui avait été l'une des religions de sa jeunesse, il aspirait longuement sa prise de tabac.

— Eh bien, l'abbé, as-tu juré de faire damner ces dames ? lui dit le baron, qui s'attendait à une plaisanterie, et nous diras-tu enfin quel revenant tu as vu, en passant tout à l'heure sur la place ?

— Ris tant que tu voudras, Fierdrap, reprit l'abbé imperturbable, mais ceci est sérieux. Le revenant que j'ai vu était de chair et d'os... comme toi et moi, mais il n'en était que plus épouvantable !... C'était... le chevalier Des Touches !...

CHAPITRE II

HÉLÈNE ET PÂRIS

— Le chevalier Des Touches ! s'écrièrent les deux demoiselles de Touffedelys avec un accord si parfait d'intonation qu'on aurait dit qu'elles n'avaient qu'une voix à elles deux.

— Le chevalier Des Touches ! fit M. de Fierdrap à son tour, en décroisant ses jambes, comme un homme surpris. Ma foi ! si tu l'as vu, l'abbé, c'est un revenant vrai, celui-là ! et qui n'a rien de commun avec nous, qui ne sommes que des émigrés revenus...

— Sans revenus ! interrompit gaiement l'abbé, jouant sur le mot.

— Seulement, tu vas me forcer, continua le baron, à partager les idées de mademoiselle Sainte sur les fantômes, car ce Des Touches, le chevalier Des Touches de Langotière, qu'à Londres, après son enlèvement par les *Douze*, nous appelions en plaisantant la *Belle Hélène*, est mort parfaitement, quelques années plus tard, des suites d'un coup d'épée dans le foie, à Edimbourg.

— Je le croyais comme toi, Fierdrap ! mais il faut décompter ! répondit l'abbé de Percy, qui regardait circulairement ces trois dames, figées

par ce nom de Des Touches, l'un des héros de
leur jeunesse ; oui, je croyais qu'il était mort...
Eh ! qui ne l'aurait cru depuis tant d'années que
le silence avait succédé au bruit de son enlèvement et de son duel ? Mais, que veux-tu ? je n'ai
pas la berlue, et je viens de le voir sur la place des
Capucins, et même de l'entendre, car il m'a
parlé !

— Pourquoi donc, en ce cas, ne l'as-tu pas
amené avec toi, l'abbé ? dit en riant l'incorrigible
baron de Fierdrap, qui s'obstinait à penser que
son ami Percy jouait la comédie pour épouvanter
mademoiselle Sainte. Nous lui aurions offert une
tasse de thé, comme à un ancien compagnon
d'infortune, et nous nous serions régalés de son
histoire, qui doit être curieuse, si c'est l'histoire
d'un ressuscité ?

— Curieuse et triste, à en juger par ce que j'ai
vu, dit l'abbé, qui ne se laissait pas entamer par le
ton narquois de son ami, le baron, mais en
attendant qu'il te la raconte lui-même, fais-moi
donc, mon cher, le plaisir d'écouter la mienne !

Mesdemoiselles de Touffedelys étaient plus
que jamais suspendues aux lèvres de l'abbé, et
mademoiselle de Percy avait laissé tomber sa
tapisserie sur ses genoux et continuait de fixer son
frère avec une attention concentrée.

— J'ai dîné aujourd'hui, dit l'abbé toujours
debout, chez notre vieil ami de Vaucelles avec
Sortôville et le chevalier du Rifus, lesquels, après
le dîner, se sont campés, selon leur usage des
vendredis, à leur whist de fondation, et même ont
voulu me garder, moitié pour épargner à du
Rifus l'ennui de faire le *mort*, qu'il fait très mal
avec ses distractions perpétuelles, et moitié pour

moi, à cause de la pluie. Mais comme mon bougran ne craint pas plus l'eau que les plumes d'une sarcelle, ils ont chanté tout ce qu'ils ont voulu et je m'en suis allé malgré le temps, un temps à ne pas mettre un chien dehors, comme on dit. Or, de la rue de Poterie à la rue Siquet, je n'ai rencontré âme qui vive, si ce n'est pourtant le perruquier Chélus, ce maître ivrogne qui marchait en dessinant des tire-bouchons sous la pluie et qui m'a grasseyé, en passant, le bonsoir d'une voix barbouillée ; mais, au sortir de la rue Siquet et quand j'ai tourné le coin de la place, ramassé sous mon parapluie pour éviter le vent qui me fouettait l'averse au nez, j'ai tout à coup senti une main qui m'a saisi le bras avec violence, et je t'assure, Fierdrap, que cette main-là avait quelque chose de très corporel, et j'ai vu à deux pouces de ma figure et dans le rayon de ma lanterne, car presque tous les réverbères de la place étaient éteints, un visage..., est-ce croyable ? sur mon âme, plus laid que le mien ! un visage dévasté, barbu, blanchi, aux yeux étincelants et hagards, lequel m'a crié d'une voix rauque et amère : *« Je suis le chevalier Des Touches ; n'est-ce pas que ce sont des ingrats ? »*

— Mère de douleur ! s'écria mademoiselle Sainte, devenue blême. Etes-vous bien sûr qu'il était vivant ?...

— Sûr, répondit l'abbé, comme je suis sûr que vous vivez, mademoiselle ! Voyez plutôt, ajouta-t-il en relevant la manche de son habit, j'ai encore au poignet la marque de cette main frénétique et brûlante, qui m'a lâché après m'avoir étreint ! Oui, c'était notre *Belle Hélène*, Fierdrap ! mais dans quel état de changement, de vieillesse, de démence ! C'était le chevalier Des Touches, comme il le disait. Je l'ai bien reconnu à travers les haillons du temps et de la misère ! J'allais lui parler, l'interroger... quand, d'un souffle, il a éteint la lanterne à la lueur de laquelle je le regardais, saisi d'un étonnement douloureux, et il a comme fondu dans la pluie, la rafale et l'obscurité !

— Et alors ?... dit M. de Fierdrap, devenu pensif.

— Mais cela a été tout ! fit l'abbé ; — et il s'assit dans le fauteuil qui lui tendait les bras. — Je n'ai plus rien vu, rien entendu, et je m'en suis venu jusqu'ici dans une espèce d'horreur de cette apparition étrange. Je ne me rappelle pas avoir éprouvé rien de pareil depuis le jour où, en Sorbonne, je fis gageure d'aller tranquillement planter un clou, à minuit, sur la tombe d'un de nos confrères, enterré de la veille, et qu'en me relevant de cette tombe, où je m'étais agenouillé pour mieux enfoncer mon clou, je me sentis pris par ma soutane...

— Jésus ! firent les deux Touffedelys par le même procédé de voix et d'émotion jumelles.

— C'était toi qui l'avais clouée ! dit le baron de Fierdrap. Je connais l'histoire ! Si ton revenant de ce soir ressemble à l'autre...

— Fierdrap, tu plaisantes trop maintenant ! dit le majestueux chanoine, avec un ton qui rendit toute autre plaisanterie impossible.

— Ah ! si tu le prends ainsi, l'abbé, je redeviens sérieux comme un chat qui boit du vinaigre... et du vinaigre versé par toi ! Mais, voyons, raisonnons, tâchons de voir clair, malgré ta lanterne soufflée... Pourquoi Des Touches serait-il à Valo-

gnes, par cette nuit, sous cette apparence misérable ?...

— Il doit être fou, dit froidement M. de Percy,
parlant sa pensée comme s'il avait été seul... Il est
certain qu'il m'a produit l'effet d'un insensé,
échappé de quelque hôpital... Il était affreux !

— *Ils* ont une manière, dit profondément M. de
Fierdrap, de récompenser les services qui pourrait bien faire devenir fous leurs serviteurs.

— Oui, dit l'abbé, suivant la pensée de son ami ;
nous sommes entre nous, et nous les aimons assez
pour pouvoir nous en plaindre. Ils ressemblent
aux Stuarts, et ils finiront comme eux ! Ils en ont
la légèreté de cœur et l'ingratitude. Quand le
malheureux que je viens de voir m'a parlé *d'ingrats*, il n'avait pas besoin de *les* nommer. Je l'avais
reconnu et je le comprenais !

Ici, il y eut un moment de silence. Ces demoiselles de Touffedelys ne soufflaient mot d'émotion et de stupéfaction, ou peut-être d'absence de
pensée. Mais le royalisme de mademoiselle de
Percy, qui avait (disait-elle) *la religion de la royauté*,
jeta un cri, qui fut comme une protestation contre
les dures paroles de l'abbé.

— Ah ! mon frère ! dit-elle avec un accent de
reproche.

— Royaliste *quand même* ! héroïne *quand même* !
C'est bien vous, ma sœur ! dit l'abbé en tournant
sa tête blanche vers elle. Vous portez donc toujours vos caleçons de velours rayé et vos grosses
bottes de gendarme, et vous montez toujours à
califourchon votre pouliche pour le compte de la
maison de Bourbon ?...

Mademoiselle de Percy avait été une des ama-
zones de la Chouannerie. Elle avait plus d'une

fois, sous des vêtements d'homme, servi d'officier d'ordonnance ou de courrier aux différents chefs qui avaient insurgé le Maine et voulu armer le Cotentin. Espèce de chevalier d'Eon, mais qui n'avait rien d'apocryphe, elle avait, disait-on, fait le coup de feu du buisson avec une intrépidité qui eût été l'honneur d'un homme. Bien loin que sa beauté ou la délicatesse de ses formes pût jamais révéler son sexe, sa laideur avait pu même quelquefois effrayer l'ennemi.

— Je ne suis plus qu'une vieille fille, inutile maintenant, dit-elle en répondant avec une mélancolie qui n'était pas sans grâce à la plaisanterie de son frère, et je n'ai pas même un pauvre petit bout de neveu dans les Pages à qui je puisse léguer la carabine de sa tante ; mais je mourrai comme j'ai vécu, fidèle à nos maîtres et ne pouvant rien entendre contre eux.

— Tu vaux mieux qu'eux et que nous, Percy ! dit l'abbé qui admirait ce dévouement, mais qui ne le partageait *plus*. Il appelait toujours sa sœur par son nom de Percy, comme si elle avait été un homme, et il y avait dans cette habitude de langage un hommage de respect que méritait cette vieille lionne de sœur !

L'éloge de l'abbé fut comme un boute-selle pour l'amazone de la Chouannerie... L'agitation n'était jamais bien loin, d'ailleurs, de cette nature sanguine, perpétuellement ivre d'activité sans but, depuis que les guerres étaient finies. Elle repoussa impétueusement sur le guéridon qui supportait la lampe le canevas de cette tapisserie dans laquelle elle clouait les impatiences de son âme, depuis qu'elle ne clouait plus les hérons et les butors, tués par elle à la chasse, sur la grande porte des manoirs ; et se levant bruyamment de sa bergère, elle se mit à marcher dans le salon, malgré ses gouttes, l'œil enflammé et les mains derrière le dos, comme un homme :

— Le chevalier Des Touches à Valognes ! dit-elle comme se parlant à elle-même, bien plus qu'à ceux qui étaient là. Et, par la Mort-Dieu ! pourquoi pas ? ajouta-t-elle, car elle avait rapporté des vieilles guerres, au clair de lune, des jurons et des mots énergiques qu'elle ne disait pas d'ordinaire, mais qui revenaient à ses lèvres quand quelque passion la reprenait, comme des oiseaux sauvages et effrontés reviennent à quelque ancien perchoir abandonné depuis longtemps. Après tout, ce n'est pas impossible ! Un homme qui a fait la guerre des Chouans et qui n'y est pas resté a la vie dure. Au lieu de débarquer à Granville, il aura pris terre à Portbail ou au havre de Carteret, et il aura passé par Valognes pour retourner dans son pays ; car il est, je crois, du côté d'Avranches. Mais, mon frère, continua-t-elle, en s'arrêtant devant lui, comme si elle avait été encore dans ces grosses bottes dont il venait de lui parler et qu'elle eût eu sur la tête, au lieu de son baril de soie orange et violet, le tricorne qu'elle avait porté dans sa jeunesse sur ses cheveux en catogan ; mais, mon frère, si vous êtes sûr que ce fût lui, le chevalier Des Touches, pourquoi l'avoir laissé vous quitter si vite et ne l'avoir pas contraint, du moins, à vous parler ?

— Suivi ! parlé ! répondit gaiement l'abbé au ton sérieux et passionné de mademoiselle de Percy ; mais on ne suit pas un coup de vent quand il passe, et on ne parle pas à un homme qui, comme un farfadet, pst ! pst ! est déjà bien loin

quand on commence à le reconnaître, et tout cela
par le temps qu'il fait, mademoiselle ma sœur !

— Oh ! vous avez toujours été un peu damoi-
seau, l'abbé ! reprit ce singulier gendarme en
cottes bouffantes, qui n'avait, *lui*, jamais été une
demoiselle. Moi, j'aurais suivi le chevalier. Pauvre
chevalier ! continua-t-elle en marchant toujours.
Il ne se doute guère que vous autres, les Touffedelys, vous n'avez plus votre château de Touffedelys, notre ancien quartier général, et que vous
êtes devenues des dames de Valognes, chez qui *un*
de ses sauveurs est maintenant réduit à venir faire
de la tapisserie tous les soirs !

— Que dites-vous donc là, mademoiselle de
Percy ?... fit le baron de Fierdrap, retirant son nez
littéralement enseveli au fond de la boîte de
fer-blanc, dans laquelle il enfermait son *Tea-
Pocket*, comme il l'appelait ; et il le tourna, ce nez
frémissant et curieux, vers mademoiselle de
Percy, qui marchait toujours d'une encoignure à
l'autre du salon, avec le va-et-vient de quelque
formidable pendule en vibration !

— Ah ! bien oui ! tu ne sais pas cela, toi,
Fierdrap ! reprit l'abbé ; mais, ma sœur, que tu
vois là, dans la splendeur de tous ses falbalas, est
un des sauveurs de Des Touches, ni plus ni
moins, mon cher ! Elle a fait partie, pendant que
nous chassions le renard en Angleterre, de la
fameuse expédition des *Douze*, qui nous parut si
incroyablement héroïque, quand Sainte-Suzanne
nous la raconta un soir chez mon cousin, le duc de
Northumberland. Te le rappelles-tu ? Sainte-Suzanne ne nous dit pas que ma sœur fût un de ces
braves. Il ne le savait pas, et je ne l'ai su, moi, que
depuis mon retour de l'émigration. Elle avait si

bien caché son sexe, ou ces messieurs furent si discrets, qu'elle fut prise pour un de ces gentils-hommes qui ne se connaissaient pas tous les uns les autres, mais qui s'appelaient également tous, les uns pour les autres, « Cocarde blanche » ! Aurais-tu jamais cru que l'un des *Pâris* de notre *Belle Hélène* fût... ma sœur ?

— Vraiment ! dit M. de Fierdrap, qui ne prit pas garde au geste comique et théâtral de l'abbé de Percy, en disant ces dernières paroles. Les yeux gris fauve du baron se mirent à jeter des étincelles comme la pierre à fusil, dont ils avaient la nuance, quand elle tombe dans le bassinet. Vraiment ! répéta-t-il, mademoiselle ! Vous faisiez partie de la fameuse expédition des *Douze* ? Alors permet-tez-moi de baiser votre vaillante main, car, sur ma parole de gentilhomme, voilà ce que je ne savais pas !

Et il se leva, alla rejoindre au beau milieu du salon mademoiselle de Percy, qu'il prit par la main, une main un peu forte et si virginale que la vieillesse ne l'avait pas blanchie, et il la lui baisa avec un sentiment si chevaleresque qu'il en aurait été tout idéalisé aux yeux d'un poëte, cet antique pêcheur à la ligne, avec sa mise hétéroclite et son nez jaspé !

Elle la lui avait donnée comme une reine et quand il eut fait retentir son hommage, un hommage militaire, car le baiser du vieil enthou-siaste fit presque le bruit d'un coup de pistolet, ils s'adressèrent mutuellement une de ces solennel-les révérences comme la tradition nous rapporte qu'on en faisait une, avant de danser le menuet.

— Ma sœur de Percy, dit l'abbé, puisque l'appa-rition de Des Touches, dont nous aurons sans doute des nouvelles demain, nous fait tisonner dans son histoire, au coin du feu, ici, ce soir, pourquoi ne la raconteriez-vous pas à Fierdrap, qui ne l'a jamais sue que *de bric et de broc*, comme nous disons en Normandie, par la très bonne raison qu'il ne l'a jamais entendue que dans les versions infidèles et changeantes de l'émigration ?

— Je le veux bien, mon frère, dit mademoiselle de Percy, qui rougit de plaisir à la demande de l'abbé, si cela pouvait s'appeler rougir que de passer de la nuance qu'elle avait à une nuance plus foncée ; mais il est neuf heures sonnées à la pendule et mademoiselle Aimée va bientôt venir : c'est son heure. Or, voilà l'embarras ; comment raconter devant elle l'enlèvement de Des Touches où périt son fiancé d'une manière si étrange et si fatale ? Elle a beau être sourde et préoccupée, la malheureuse fille ! il y a des jours où le rideau tendu par la douleur entre elle et le monde est moins épais et laisse passer les bruits et la parole, et c'est peut-être un de ces jours-là qu'aujourd'hui !

— Si l'air est très fin, dit mademoiselle Ursule de Touffedelys, qui faisait la médecine des pauvres et qui avait des explications à elle pour expliquer une irrégularité organique à laquelle les médecins ne comprenaient rien, si l'air est très fin, vous pouvez être bien tranquille, elle n'entendra pas une syllabe de tout ce que vous nous direz !

— Et il est très fin, dit l'abbé, en passant ses mains le long de ses jambes, car je sens une vraie tempête de vents coulis sur mes bas de soie. Quand donc ferez-vous descendre votre paravent dans le salon, mesdemoiselles ?

— Eh bien, dit le baron de Fierdrap, suivant son idée, ne commençons que quand elle sera venue, afin de n'avoir pas à nous interrompre...

Et, précisément, la pendule se mit à marquer le quart après neuf heures avec un bruit sec...

Cette pendule était un Bacchus d'or moulu, vêtu de sa peau de tigre, qui, debout, tenait sur son genou divin, ni plus ni moins qu'un simple tonnelier de la terre, un tonneau, dont le fond était le cadran où l'on voyait les heures, et dont le balancier figurait une grappe de raisin, picorée d'abeilles. Sur le soc enguirlandé de pampres et de lierres, à trois pas du dieu aux courts cheveux bouclés, il y avait un thyrse renversé, une amphore et une coupe... Drôle de pendule chez de vieilles filles, qui ne buvaient guère que du lait et de l'eau et qui se souciaient moins que l'abbé de mythologie !

Or, presque au même instant, la sonnette de la porte répondit au *tac* de la pendule, en tintant avec son bruit aigrelet au fond du corridor qui conduisait à la rue :

— La voici ! Nous n'avons pas eu longtemps à l'attendre, ajouta le baron.

Et celle qu'ils nommaient *mademoiselle Aimée*, et qui allait décider de leur soirée, ouvrit la porte sans qu'on l'annonçât, et entra.

CHAPITRE III

UNE JEUNE VIEILLE
AU MILIEU DE VÉRITABLES VIEILLARDS

— C'est vous, Aimée ! crièrent du plus haut de leurs gosiers les deux Touffedelys, qui, dans leurs bergères capitonnées, ressemblaient à ces montres à répétition que l'on plaçait autrefois sur un coussinet de soie piqué, aux deux côtés de la glace de la cheminée, et qui auraient sonné l'heure en même temps. Mon Dieu ! n'êtes-vous pas *traversée*, ma chère ?... reprirent-elles d'une seule haleine, toujours confondant leurs sonneries, virant toutes deux autour de mademoiselle Aimée, tenant leurs écrans et remuées d'un esprit de maîtresse de maison qui semblait, à leurs agitations, souffler en elles comme un Borée.

Du reste, tout le petit cercle s'était levé d'un mouvement unanime, comme s'il eût cédé à la pression du même ressort. C'était le ressort fort et doux de la sympathie, un acier bien fin qui ne s'était pas rouillé dans tous ces vieux cœurs.

— Ne vous dérangez donc pas, fit une voix fraîche du fond de la cape rabattue d'un mantelet, car la nouvelle arrivée était entrée dans le salon, comme elle était venue, n'ayant laissé dans le corridor que ses patins. Elle répondait plus aux

mouvements qu'aux paroles de ses amies. Je ne
suis pas mouillée, ajouta-t-elle, je suis venue si vite
et le couvent est si près !

Et pour prouver ce qu'elle disait, elle pencha,
dans le jour ambré de la lampe, son épaule, où
quelques gouttes d'eau perlaient sur la soie de son
mantelet. Le mantelet était d'un violet sombre,
l'épaule était ronde, et les gouttes d'eau tremblaient bien, à cette lueur de lampe, sur cette
rondeur soyeuse. On eût dit une grosse touffe de
scabieuses où fussent tombés les pleurs du soir.

— Ce n'est que les gouttes du larmier, fit judi-
cieusement la grande observatrice, mademoiselle
Sainte.

— Aimée, vous êtes une imprudente, ma *Délicate-et-Blonde*, se mit à rugir mademoiselle de
Percy, jouant de sa basse taille aux oreilles de
mademoiselle Aimée (c'était un essai ; l'enten-
drait-elle ?). La sœur de l'abbé tenait beaucoup à
raconter son histoire au baron de Fierdrap, et elle
la croyait compromise... Vous vous êtes exposée,
continua-t-elle, à vous rendre malade ; car, en
venant, si vous n'avez pas eu la pluie, vous avez eu
le vent, mon amour !

Mais, pour toute réponse à cette tonnante
observation, machiavéliquement bienveillante, la
Délicate-et-Blonde avait détaché l'améthyste qui
agrafait son mantelet autour de son cou, et, des
plis de ce *dessus* reployé, sortit une grande personne, blonde, il est vrai, mais plus forte que
délicate. Quand elle se retourna, après avoir jeté
languissamment son mantelet au dos d'une
chaise, et qu'elle vit mademoiselle de Percy,
rouge, comme un homard dans son court-bouil-
lon, et qui de sa main faisait un cornet :

— Pardon, dit-elle, mademoiselle, car je crois que vous me parliez ; mais ce soir, je suis...

Dans sa touchante pudeur d'infirme, elle n'osa pas dire le mot qui exprimait son infirmité. Mais, montrant, d'un geste triste, son oreille et son front :

— *Madame est dans sa tour,* au plus haut de sa tour, dit-elle en souriant, et je crains bien que, ce soir, elle n'en puisse descendre !

Mot poétique et enfantin qu'elle avait trouvé et qu'elle répétait les jours où sa surdité était complète. Elle avait une manière de les prononcer, qui faisait de ces mots : *Madame est dans sa tour,* tout un poème de mélancolie !

— Ce qui veut dire qu'elle est sourde comme un pot, risqua l'abbé d'un ton sarcastique et cynique. Tu auras ton histoire, Fierdrap ! et ma sœur ne sera pas obligée d'avaler sa langue comme les sauvages... ce qui doit être un rude supplice, même pour les héroïnes de votre force, mademoiselle de Percy !

Pendant qu'il parlait, la cadette des Touffede-lys avait pris, par ses coudes nus au-dessus de ses longues mitaines, mademoiselle Aimée, et l'avait doucement poussée dans sa bergère, tandis que mademoiselle Ursule, approchant un carreau, avait posé aimablement dessus les pieds de cette fille qui semblait si bien porter ce nom d'Aimée qu'ils lui donnaient tous, sans y ajouter d'autre nom.

— Mais vous voulez donc que je m'en retourne, mes trop aimables ?... fit celle-ci en prenant sur ses pieds les mains de mademoiselle Ursule et en les gardant dans les siennes. Vous voilà tous debout ! Vous voilà tous en l'air parce que j'ar-

rive ! Est-ce là me traiter en voisine et en amie !...
Sont-ce là nos conventions ? Vous m'avez auto-
risée à venir sans cérémonie, en douillette et en
pantoufles, travailler près de vous chaque soir, car
voici le mois où je ne puis rester chez moi toute
seule, quand la nuit est tombée...

Elle dit cela comme si l'on avait su ce qu'elle
voulait dire ; et, de fait, les deux Touffedelys
s'inclinèrent d'adhésion, comme ces magots chinois qui baissent la tête ou tirent la langue quand
on les met en branle en s'en approchant... Seulement, elles s'arrêtèrent au premier de ces deux
mouvements...

— Vraiment, je regretterai d'être venue, continua-t-elle, si je vois que je vous dérange, que
j'interromps ce que vous disiez... Avec une fille
d'aussi peu de ressource que moi dans la causerie,
il faut toujours, mes chères amies, faire comme si
je n'y étais pas.

Mais il semblait précisément que ce ne fût pas si
facile de faire ce qu'elle disait là d'une voix légère
et résignée ! Ni dans cette partie indifférente du
monde qui s'appelle le *grand* ou le *beau monde*, ni
dans le petit monde de l'intimité, ni nulle part
enfin dans la vie, cette femme, cette sourde, cette
Aimée, ne pouvait passer inaperçue. Et bien loin
qu'on pût faire jamais, quand elle était là, *comme si
elle n'y était pas,* on sentait, tant elle était charmante ! que, même là où elle n'était plus, elle
semblait être encore et rester toujours !

Oui, elle était charmante, quoique, hélas ! aussi
sans jeunesse ! Mais parmi tous ces vieillards plus
ou moins chenus, sur ce fond de chevelures
blanchies, étagées autour d'elle, elle ressortait bien
et elle se détachait, comme une étoile d'or pâli sur

un glacis d'argent, qui en aurait relevé l'or. De
belle qu'elle avait été, elle n'était plus que charmante, car elle avait été d'une beauté célèbre dans
sa province et même à Paris, quand elle y venait
avec son oncle, le colonel Walter de Spens, vers
18..., et quand elle accaparait, en se montrant au
bord d'une loge, toutes les lorgnettes d'une salle
de spectacle. Aimée Isabelle de Spens, de l'illustre
famille écossaise de ce nom, qui portait dans son
écu le lion rampant du grand Macduff, était le
dernier rejeton de cette race antique, venue en
France sous Louis XI et dont les divers membres
s'étaient établis, les uns en Guyenne et les autres
en Normandie. Sortie des anciens comtes de Fife,
cette branche de Spens, qui, pour se distinguer
des autres branches, ajoutait à son nom et à ses
armes le nom et les armes de Lathallan, s'éteignait
en la personne de la comtesse Aimée-Isabelle,
qu'on appelait si simplement *mademoiselle Aimée*
dans le salon des Touffedelys, et devait mourir
sous les bandeaux blancs et noirs de la virginité et
du veuvage, ces doubles bandelettes des grandes
victimes ! Aimée de Spens avait perdu son fiancé
au moment où, devenue pauvre par le fait de la
spoliation révolutionnaire, elle cousait elle-même
sa modeste robe de noces de ses mains féodales ;
et même on ajoutait tout bas qu'elle avait fait de
cette robe inachevée et inutile le suaire de son
malheureux fiancé... Depuis ce temps-là, et il y
avait longtemps, le monde intime au sein duquel
elle vivait l'appelait souvent la Vierge-Veuve, et ce
nom exprimait bien, dans ses deux nuances, sa
destinée. Comme il faut avoir vu les choses pour
les peindre ressemblantes, le groupe de vieillards
qui l'entourait et qui l'avait vue, en pleine jeu-

nesse, donnera peut-être en parlant d'elle, dans
cette histoire, une idée de sa beauté passée ; mais
il paraît que cette beauté avait été surnaturelle.

Lorsque le vent de la poésie romantique soufflait dans la tête classique de l'abbé de Percy, qui
était poète, mais qui tournait ses vers au *tour en
l'air* de Jacques Delille, il disait, sans trop croire
tomber dans le galimatias moderne :

> Ce fut longtemps l'Astre du jour ;
> Mais c'est l'Astre des nuits encore !

Et, quelle que fût la valeur métaphorique de ces
deux vers, ils ne manquaient pas de justesse. En
effet, Aimée, la belle Aimée, était une puissance
métamorphosée, mais non détruite. Tout ce qui
avait été splendide en elle autrefois, tout ce qui
foudroyait les yeux et les cœurs, était devenu, à
son déclin, doux, touchant, désarmé, mais sua-
vement invincible. Sidérale d'éclat, sa beauté, en
mûrissant, s'était amortie. Comme les rayons de la
lune, elle s'était veloutée...

L'abbé disait d'elle encore ce joli mot à la
Fontenelle, pour exprimer le charme attachant de
sa personne : « Autrefois, elle faisait des victimes ;
à présent elle ne fait plus que des captifs. » Le
foisonnant buisson de roses s'était éclairci, les
fleurs avaient pâli et se dépouillaient, mais en se
dépouillant, le parfum de tant de roses ne s'était
pas évaporé. Elle était donc toujours *Aimée*...
L'outremer de ses longs yeux de « fille des flots »,
qui distinguait, comme un signe de race, cette
descendante des anciens *rois de la mer*, ainsi que
les chroniques désignent les Normands, nos ancêtres, n'avait plus, il est vrai, la radieuse pureté de

ce regard de Fée, ondé de bleu et de vert, comme les pierres marines et comme les étoiles, et où semblaient chanter, car les couleurs *chantent* au regard, la Sérénité et l'Espérance ! Mais la profondeur d'un sentiment blessé, qui teignait tout de noir dans l'âme d'Aimée, y versait une ombre sublime. Le gris et l'orangé, ces deux couleurs du soir, y descendaient et y jetaient je ne sais quels voiles comme il y en a sur les lacs de saphir de l'Ecosse, sa primitive patrie. Moins heureuse que les montagnes qui ne connaissent pas leur bonheur et qui retiennent longtemps à leurs sommets les feux du soleil couchant et les caresses de la lumière, les femmes, elles, s'éteignent par la cime. Des deux blonds différents qui avaient, pendant tant d'années, joué et lutté dans les ondes d'une chevelure, « du poids de sa dot de comtesse », disait orgueilleusement le père d'Aimée de Spens avant sa ruine, le blond mat et morne l'emportait maintenant sur le blond étincelant et joyeux qui avait jadis poudré son front, si mollement rosé, de l'or agaçant de ses paillettes ; et c'est ainsi que, comme toujours, le feu, une fois de plus, mourait sous la cendre ! Si mademoiselle Aimée avait été brune, pas de doute que déjà, sur ces nobles tempes qu'elle aimait à découvrir, quoique ce ne fût pas la mode alors comme aujourd'hui, on eût pu voir germer ces *premières fleurs du cimetière*, comme on dit des premiers cheveux blancs que le Temps, dans de cruels essais, nous attache au front brin à brin, en attendant que le diadème mortuaire qu'il tresse à nos têtes condamnées soit achevé ! Mais mademoiselle Aimée était blonde. Les cheveux blancs des blondes sont des cheveux bruns qui, peu à peu, viennent tacher, comme de terre, leurs boucles brillantes, dédorées. Ces terribles taches, Aimée les avait à la racine de ses cheveux relevés, et l'âge de cette jeune vieille n'était pas seulement écrit dans ces sinistres meurtrissures...

Il l'était ailleurs. Il l'était partout. A la clarté de la lampe qui frappait obliquement sa joue, il était aisé d'apercevoir les ombres mystérieuses et fatales qui ne tenaient pas au jeu de la lumière, mais à la triste action de la vie, et qui commençaient à tomber dans les méplats de son visage, comme elles étaient déjà tombées dans le bleu de mer de ses yeux. La robe de soie gris de fer qu'elle portait et les longues mitaines noires qui montaient jusqu'à la saignée de son bras rond et vainement puissant, puisqu'il ne devait jamais étreindre ni un pauvre enfant ni un homme, ce bras dont la chair ressemblait de tissu, de nuance et de fermeté à la fleur de la jacinthe blanche, le bout de dentelle qu'elle avait jeté pour sortir à la hâte par-dessus son peigne, et qui, noué sous son menton, encadrait modestement l'ovale de ses traits ; tous ces simples détails, ajoutés au travail du temps, humanisaient, faisaient redevenir visage de femme cette céleste figure de Minerve, calme, sérieuse, olympienne, placide, en harmonie avec ce sein hardiment moulé, comme l'orbe d'une cuirasse de guerrière, où brûlait chastement, depuis plus de vingt ans, une pensée d'adoration perpétuelle ; et l'on sentait, en voyant ces premiers envahissements de l'âge et ces traces de la douleur que, si cette vierge, grandiose et pudique, avait toujours été la Sagesse, elle n'était pas pour cela déesse.

Elle n'était qu'une fille « montée en graîne »,

disaient cyniquement les jeunes gentilshommes
de la contrée, qui ont tous perdu, au contact des
mœurs nouvelles, la galanterie chevaleresque de
leurs pères ; mais aux yeux de qui savait voir, cette
vieille fille valait mieux à son petit doigt sans
anneau qu'à tout leur corps dans leurs robes de
noces, les plus jeunes châtelaines de ce pays, dont
les femmes ressemblent pourtant aux touffes de
roses des pommiers en fleur ! Au physique, sa
beauté de soleil couché, estompée par le crépus-
cule et par la souffrance, pouvait encore inspirer
un grand amour à une imagination réellement
poétique ; mais, au moral, qui aurait pu lutter
contre elle ? Qui, sur les âmes élevées, aurait eu
plus d'empire que cette Aimée de quarante ans, la
femme de son nom autrefois, car personne n'avait
jamais inspiré plus de sentiments ardents et tendres !... Richesse et conquêtes inutiles ! Don de
grâce ironique et cruel, qui n'avait rien pu pour
son bonheur, mais qui avait fait de sa vie man-
quée quelque chose de plus beau que la vie
réussie des autres !

Le petit cercle qui venait de s'ouvrir pour elle,
et qu'elle avait élargi, s'était refermé autour de la
cheminée. Mademoiselle Sainte de Touffedelys
avait pris place auprès de sa sœur. La nouvelle
arrivée, installée si aimablement dans la bergère
de mademoiselle Sainte, avait tiré de son manchon la broderie commencée chez elle, et de ses
doigts effilés qui sortaient de ses mitaines de soie
comme des pistils blancs d'une fleur noire, elle fit
quelques points, puis, relevant sa belle tête et leur
jetant son regard langoureux, à eux tous, qui se
préparaient à reprendre leur causerie interrompue :

— A la bonne heure, dit-elle de cette voix dont la fraîcheur avait plus résisté que celle de ses joues, — une voix de rose qu'il faudrait donner au guide de l'aveugle pour le consoler de n'y voir plus ; à la bonne heure ! voilà comme je vous aime maintenant, et comme je vous veux. Causez entre vous et oubliez-moi.

Et elle repencha sa tête sur son ouvrage, et elle se replongea dans sa préoccupation profonde, *ce puits de l'abîme* qui était en elle et que gardait sa surdité !

— Et à présent, ma chère Percy, fit doctoralement mademoiselle Ursule, vous pouvez dire tout ce qu'il vous plaira sans aucune crainte. Quand sa surdité la reprend, elle devient encore plus distraite que sourde, et, c'est moi qui vous en réponds, elle n'entendra pas un seul mot, fendu en quatre, de votre histoire.

— Oui, dit l'abbé ; seulement, ma sœur, vous ferez bien de vous arrêter, si votre fougue vous le permet, quand elle lèvera la tête de son ouvrage, car ces diables de sourds voient le son sur les lèvres, et les mots leur arrivent par les yeux.

— Lignes et hameçon ! dit le baron de Fierdrap étonné, que de précautions pour une histoire ! C'est donc quelque chose de bien terrible pour mademoiselle Aimée, ce que vous allez raconter ! J'avais bien ouï dire autrefois qu'elle avait perdu son fiancé dans la fameuse expédition des Douze, et qu'elle n'avait jamais, à cause de cela, voulu entendre parler de mariage, depuis ce temps-là, malgré les bons partis qui se présentèrent ; mais, bon Dieu ! où donc en sommes-nous, si, au bout de vingt ans, il faut prendre des

ménagements pareils pour raconter une vieille
histoire devant une... devant une...

— Allons, achève ! devant une vieille fille !
interrompit l'abbé. Elle ne t'entend pas, et voilà
déjà le bénéfice de sa surdité qui commence !
Mais, mon pauvre Fierdrap, cette vieille fille,
comme tu dis, eût-elle l'âge des carpes que tu
pêches dans les étangs du Quesnoy, et elle est
encore loin de cet âge et du nôtre, cette vieille
fille, c'est mademoiselle Aimée de Spens, une
perle, vois-tu ? qui ne se trouve pas dans la vase
où tu prends tes anguilles, une espèce de femme
rare comme un dauphin, et à laquelle un vide-
rivière de cormoran, comme toi, n'est pas troussé
pour rien comprendre, pas plus qu'à ce terrible
coup de filet autour du cœur, qu'on appelle un
amour fidèle !

— Peuh ! fit le baron, sur lequel le mot de
l'abbé opéra comme un *clangor tubæ*, qui lui
sonnait la diane de sa manie, et qui lui fit
enfourcher son dada ; j'ai pêché, il y a environ dix
ans, sous les ponts de Carentan, et à l'époque de
l'équinoxe de septembre, un poisson de la gros-
seur d'un fort rouget, qui ressemblait comme
deux gouttes d'eau à un dauphin, s'il faut en
croire les peintures, les écussons et les tapisseries
où ce phénix des poissons est représenté. Comment se trouvait-il dans la Douve ? La mer
l'avait-elle rejeté là comme elle y rejette quantité
de saumons, à certaines saisons et à certaines
marées ? Mais le fait est que je l'y trouvai pris à
une de mes lignes dormantes, au bout de laquelle
il tressautait vigoureusement, comme s'il n'avait
pas eu un croc dans la tête, de la profondeur de
deux doigts ! De ma vie ni de mes jours, je n'avais

eu un pareil poisson dans ma nasse ; non, par
Dieu et ses apôtres, qui étaient pêcheurs ! ni le
père Le Goupil, ni M. Caillot, ni M. d'Ingouville,
ni aucun des membres de notre *club des Pêcheurs de
la Douve,* non plus !

« Je restai d'abord un peu ébahi quand je
l'aperçus ; mais bientôt je le couchai mollement
sur l'herbe, et je me mis à braquer sur lui mes
deux lanternes, — et il fit un geste en montrant ses
deux yeux qu'il cligna, — j'avais retenu de mes
livres de classe que le dauphin se teignait, à
l'heure de la mort, de toutes les nuances de
l'arc-en-ciel, et j'étais curieux de voir cela. Mais
c'est probablement une de ces bourdes comme
nous en ont faites si souvent messieurs les Anciens. As-tu jamais pu croire aux Anciens, toi,
l'abbé ?... et à leur Pline ?... et à leur Varron ?... et
à leur pince-sans-rire de Tacite ?... tous drôles qui
se moquent de nous à travers les siècles, mais à
qui du moins l'histoire de mon poisson allongea
un bon soufflet de plus ; car, mon cher, il mourut
aussi bêtement qu'une huître hors de son écaille...
sans plus changer de couleur que la première
tanche ou le premier brochet venu ! Et cependant
quand j'allai, de mon pied mignon, le porter au
bonhomme Lambert de Grenthéville, qui s'occupait alors d'histoire naturelle, il me jura, malgré
tout ce que je pus lui dire de la plate mort de la
bête, et sur son honneur de savant, ce qui n'était
pas pour moi, du reste, chose aussi vénérable que
le reliquaire de Saint-Lô, oui, il me jura que c'est
bien là le dauphin dont les Anciens nous ont tant
parlé ! En fait de dauphin, voilà, l'abbé, ce que
j'ai jamais vu de ma vie, et tu as diablement raison
(*diablement* était l'adverbe favori du baron de

Fierdrap), si tu entends par là quelque chose de
rare. Quant aux amours fidèles, c'est différent...
et plus commun... quoiqu'il n'en pleuve pas non
plus des potées ; et qu'à ce filet-là comme aux
autres, le temps ôte chaque jour quelque maille,
par où le poisson le mieux pris ne manque jamais
de décamper ! »

— Eh bien, sceptique, reprit l'abbé, sceptique
au cœur des femmes ! en voici une qui soufflet-
tera aussi tes observations et tes connaissances...
comme si tu étais un Ancien ! L'histoire de
mademoiselle Aimée se mêle à l'histoire de ma
sœur comme une guirlande de cyprès s'enlace à
une branche de laurier. Ecoute et profite ! et ne
suspends pas plus longtemps un récit que tu as
demandé toi-même, et que tu oublies à *parler
poisson*, ô le plus incorrigible des pêcheurs !

— Sur mon honneur, c'est la vérité ! j'ai là glissé
comme une anguille, dit M. de Fierdrap ; et se
tournant vers mademoiselle de Percy, littéralement à l'état d'outre, gonflée par l'histoire qu'elle
était obligée de retenir, pendant que ces messieurs parlaient :

— Excusez-moi, ajouta-t-il, mademoiselle, quoique le plus coupable des deux soit votre frère,
avec son dauphin qui m'a rappelé le mien...

— Oui, fit l'abbé toujours mythologique,
comme Arion, un dauphin t'a emporté sur sa
croupe et tu as bientôt gagné le large dans la
haute mer des distractions...

— Mais je suis à présent tout oreilles pour vous
écouter, mademoiselle, continua M. de Fierdrap à
travers la plaisanterie de l'abbé, qui ne l'arrêta
pas...

Mademoiselle de Percy, dont l'impatience ressemblait à une menace d'apoplexie, et qui débâtissait convulsivement les points qu'elle avait faits à son travail de tapisserie, repoussa son canevas dans sa corbeille ; et tenant ses ciseaux, les seules armes dont sa main d'héroïne fût maintenant armée, et dont elle tambourinait de temps en temps, sur le guéridon, contre lequel elle était accoudée, elle commença son récit :

Histoire militaire, digne d'un bien autre tambour !

CHAPITRE IV

HISTOIRE DES DOUZE

— Pendant que vous pêchiez des truites en
Ecosse, monsieur de Fierdrap, et que mon frère,
ici présent, faisait voir, dans sa personne, la grave
Sorbonne, en habit écarlate, chassant le renard, à
franc étrier, sur les domaines de notre gracieux
cousin le duc de Northumberland, ces demoiselles de Touffedelys qui, en leur qualité de châtelaines, très aimées des gens de leurs terres, avaient
cru pouvoir se dispenser d'émigrer, ainsi que
moi, la dernière d'une famille nombreuse et
depuis longtemps déjà dispersée, nous nous
occupions, de ce côté-ci de la Manche, à bien
autre chose, je vous assure, qu'à *filer nos quenouilles
de lin*, comme dit la vieille chanson bretonne. Les
temps paisibles où l'on ourlait des serviettes
ouvrées, dans la salle à manger du château,
n'étaient plus... Quand la France se mourait dans
les guerres civiles, les rouets, l'honneur de la
maison, devant lesquels nous avions vu, pendant
notre enfance, nos mères et nos aïeules, assises
comme des princesses de contes de fées, les rouets
dormaient, débandés et couverts de poussière,
dans quelque coin du grenier silencieux. Pour
parler à la manière des fileuses cotentinaises :

nous avions un lanfois, plus dur à peigner. Il n'y avait plus de maison, plus de famille, plus de pauvres à vêtir, plus de paysannes à doter ; et la chemise rouge de mademoiselle de Corday était tout le trousseau en espérance qu'à des filles comme nous avait laissé la République !

« Or, à l'époque dont je vais vous parler, monsieur de Fierdrap, la grande guerre, ainsi que nous appelions la guerre de la Vendée, était malheureusement finie. Henri de la Rochejaque-lein, qui avait compté sur l'appui des populations normandes et bretonnes, avait, un beau matin, paru sous les murs de Granville ; mais, défendu par la mer et ses rochers encore mieux que par les réquisitionnaires républicains, cet inaccessible perchoir aux mouettes avait tenu ferme, et de rage de ne pouvoir s'en rendre maître, la Roche-jaquelein, à ce moment-là, dit-on, dégoûté de la vie, était allé briser son épée sur la porte de la ville malgré le canon et la fusillade ; puis, il avait remmené ses Vendéens. Du reste, si, comme on l'avait cru d'abord, Granville n'avait pas fait de résistance, le sort de la guerre royaliste aurait-il été plus heureux ?... Nul des chefs normands (et je les ai tous très bien connus) qui avaient dans notre Cotentin essayé d'organiser une chouanne-rie, à l'instar de celle de l'Anjou et du Maine, ne le pensait, même dans ce temps où l'inflammation des esprits rendait toute illusion facile. Pour le croire, ils jugeaient trop bien le paysan normand, qui se battrait comme un coq d'Irlande pour son fumier et dans sa basse-cour, mais à qui la Révolution, en vendant à vil prix les biens d'émi-grés et les biens d'Eglise, avait précisément offert le morceau de terre pour lequel cette race, pil-

larde et conservatrice à la fois, a toujours combattu, depuis sa première apparition dans l'histoire. Vous n'êtes pas Normand pour des prunes,
baron de Fierdrap, et vous savez, comme moi, par
expérience, que le vieux sang des pirates du Nord
se retrouve encore dans les veines des plus chétifs
de nos paysans en sabots. Le général *Télémaque*,
comme nous disions alors, c'est-à-dire, sous son
vrai nom, le chevalier de Montressel, qui avait été
chargé par M. de Frotté d'organiser la guerre
dans cette partie du Cotentin, m'a souvent répété
combien il avait été difficile de faire décrocher du
manteau de la cheminée le fusil de ces paysans,
chez qui l'amour du roi, la religion, le respect des
nobles ne venaient que bien après l'amour de leur
fait et le besoin d'avoir de *quay sur la planque.*
« Tous les sentiments de ces gens-là sont des
intérêts », me disait, dans son dépit, le chevalier,
qui n'était pas de Normandie. Et il ajoutait, M. de
Montressel : « Si la chair de Bleu s'était vendue au
prix du gibier, sur les marchés de Carentan ou de
Valognes, pas de doute que mes lambins dégourdis n'en eussent bourré leurs carnassières, et ne
nous eussent abattu, à tout coin de haie, des
républicains, comme ils abattaient, dans les marais de Néhou, des canards sauvages et des sarcelles ! »

« Et si je reviens sur tout cela, monsieur de
Fierdrap, quoique vous le sachiez aussi bien que
moi, c'est que vous n'étiez plus là, vous, quand
nous y étions, et que je me sens obligée, avant
d'entrer dans mon histoire, de vous rappeler ce
qui se passait en cette partie du Cotentin, vers la
fin de 1799. Jamais, depuis la mort du roi et de la
reine, et depuis que la guerre civile avait fait deux

camps de la France, nous n'avions eu, nous autres royalistes, le courage sinon plus abattu, au moins plus navré... Le désastre de la Vendée, le massacre de Quiberon, la triste fin de la chouannerie du Maine, avaient été la mort de nos plus chères espérances, et si nous tenions encore, c'était pour l'honneur ; c'était comme pour justifier la vieille parole : « On va bien loin quand on est lassé ! » M. de Frotté, qui avait refusé de reconnaître le traité de la Mabilais, continuait de correspondre avec les princes. Des hommes dévoués passaient nuitamment la mer et allaient chercher en Angleterre, pour les rapporter à la côte de France, des dépêches et des instructions. Parmi eux, il en était un qui s'était distingué entre les plus intrépides par une audace, un sang-froid et une adresse incomparables : c'était le chevalier Des Touches.

« Je ne vous peindrai pas le chevalier... Vous le disiez, il n'y a qu'un instant, à mon frère, vous l'avez connu à Londres et vous l'y appeliez *la Belle Hélène*, beaucoup pour son enlèvement, et un peu aussi pour sa beauté ; car il avait, si vous vous en souvenez, une beauté presque féminine, avec son teint blanc et ses beaux cheveux annelés, qui semblaient poudrés, tant ils étaient blonds ! Cette beauté, dont tout le monde parlait et dont j'ai vu des femmes jalouses, cette délicate figure d'ange de missel ne m'a jamais beaucoup charmée. J'ai souvent raillé sur leurs admirations enthousiastes mesdemoiselles de Touffedelys et bien d'autres jeunes filles de ce temps, qui regardaient le chevalier de Langotière comme un miracle, et l'auraient volontiers nommé la *belle des belles*, comme du temps de la Fronde on disait de la duchesse de Montbazon. Seulement, tout en raillant, je n'oubliais pas que cette mignonne beauté de fille à marier était doublée de l'âme d'un homme ; que sous cette peau fine, il y avait un cœur de chêne et des muscles comme des cordes à puits... Un jour, dans une foire, à Bricquebec, j'avais vu le chevalier traité de *Chouan* avec insolence, sous une tente, faire tête à quatre vigoureux paysans, dont il tordit les *pieds de frêne* dans ses charmantes mains, comme si ç'avaient été des roseaux ! Je l'avais vu pris brutalement à la cravate par un brigadier de gendarmerie, taillé en Hercule, saisir le pouce de cet homme, entre ses petites dents, ces deux si jolis rangs de perles ! le couper net d'un seul coup et le souffler à la figure du brigadier, tout en s'échappant par un bond qui troua la foule ameutée autour d'eux ; et depuis ce jour-là, je l'avoue, la beauté de ce terrible coupeur de pouce m'avait paru moins efféminée ! Depuis ce jour-là aussi, j'avais appris à le connaître, au château de Touffedelys, où, comme je vous le disais, baron, nous avions notre quartier général le mieux caché et le plus sûr. Etes-vous quelquefois allé à Touffedelys, monsieur de Fierdrap ?... Vos domaines, à vous, n'étaient pas de ce côté, et de ce pauvre château ruiné, il ne reste pas maintenant une seule pierre ! C'était un assez vaste manoir, autrefois crénelé, un débris de construction féodale, qui pouvait abriter une troupe nombreuse entre ses quatre tourelles, et dont les environs étaient couverts de ces grands bois, le vrai nid de toutes les chouanneries ! qui rappelaient par leur noirceur et les dédales de leurs clairières ce fameux bois de Misdom où le premier des Chouans, un Condé de Broussailles, Jean Cottreau, avait toute sa vie combattu. Situé à

peu de distance d'une côte solitaire, presque
inabordable à cause des récifs, le château de
Touffedelys semblait avoir été placé là, comme
avec la main, en prévision de ces guerres de
partisans, à moitié éteintes et que nous essayions
de rallumer ! Tout ce qui avait résolu de reprendre et de continuer cette malheureuse guerre
interrompue, tout ce qui repoussait dans son âme
d'oppressives pacifications, tout ce qui pensait
que des combats de buisson et de haie pouvaient
mieux réussir qu'une guerre de grande ligne,
devenue d'ailleurs impossible, tous ceux enfin
qui voulaient brûler une dernière cartouche
contre la Fortune, l'ignoble et lâche Fortune ! et
s'enterrer sous leur dernier coup de fusil, venaient, de toutes parts, se réunir et se concerter
dans ce fidèle château de Touffedelys ! Les chefs
de cette arrière-chouannerie, qui eut son dénouement, hideusement tragique, à la mort de
Frotté, massacré dans le fossé de Verneuil, y
arrivaient sous toutes sortes de déguisements et,
maintes fois, ils s'y abouchèrent avec les derniers
survivants de la chouannerie du Maine écrasée.
Afin de désorienter le soupçon, le château, qui
n'avait plus que deux châtelaines, bien peu in-
quiétantes, à ce qu'il semblait, pour la République, était le refuge de quelques femmes de la
contrée dont les pères, les maris et les frères
avaient émigré, et qui, n'ayant voulu ou pu les
suivre, évitaient, en vivant à la campagne, au
milieu des paysans chez lesquels un vieux respect
pour leurs familles existait encore, ce qu'elles
n'eussent pas évité dans les villes, le gouffre
toujours béant des maisons d'arrêt.

« Elles y vivaient le plus obscurément qu'elles

pouvaient, cherchant à se faire oublier des représentants du peuple en mission, ces épouvantables inquisiteurs, mais cherchant à renouer les mailles du réseau, si souvent brisé, d'une insurrection à laquelle l'ensemble a trop manqué toujours. Ces femmes, dont voici quatre échantillons, monsieur de Fierdrap... »

Et des ciseaux qu'elle tenait, mademoiselle de Percy indiqua les deux Touffedelys, mademoiselle Aimée, et enfin elle-même, en retournant la pointe de ses ciseaux vers les redoutables timbales de son corsage.

— Ces femmes étaient dans tout l'éclat de leur fraîcheur de Normandes et dans toute la romanesque ferveur des sentiments de leur jeunesse ; mais dressées au courage par les événements mortels de chaque jour, perpétuellement à quelques pieds de leurs têtes, et brûlant de ce royalisme qui n'existe plus, même dans vous autres hommes, qui avez pourtant si longtemps combattu et souffert pour la royauté, elles ne ressemblaient pas à ce qu'avaient été leurs mères au même âge et à ce que sont leurs filles ou leurs petites-filles aujourd'hui ! La vie du temps, les transes, le danger pour tout ce qu'elles aimaient avaient étendu une frémissante couche de bronze autour de leurs cœurs... Vous voyez bien Sainte de Touffedelys dans sa bergère, qui ne traverserait pas aujourd'hui la place des Capucins, à minuit, pour un empire, et sans se sentir de la mort dans les veines... eh bien, Sainte de Touffedelys (n'est-ce pas, Sainte ?) venait seule avec moi, la nuit, par les plus mauvais temps d'orage, porter sur cette côte isolée et dangereuse des dépêches au chevalier Des Touches, déguisé en pêcheur de

congres et qui, dans un canot fait de trois planches, sans aucune voile et sans gouvernail, se
risquait pour le service du roi, de la côte de
France à la côte d'Angleterre, à travers cette
Manche toujours grosse de quelque naufrage...
aussi froidement que s'il se fût agi d'avaler un
simple verre d'eau !

— Et cela pouvait être la mer à boire ! interrompit l'abbé, qui, comme le prince de Ligne,
aimait jusqu'aux bêtises de la gaieté.

— Car telle était surtout, continua mademoiselle de Percy, trop *partie* pour s'apercevoir de
l'interruption de son frère, la fonction parmi
nous du chevalier Des Touches ! Entre les gentilshommes qui hantaient le château de Touffedelys et qui y concertaient la guerre, il n'y avait,
malgré le courage qui les distinguait et qui les
égalisait tous, que ce jeune damoisel de chevalier
Des Touches pour se mettre ainsi à la mer,
comme un poisson, car vous vous en souvenez,
Sainte ? c'était réellement à peine un canot que
cette pirogue de sauvage qu'il avait construite et
dans laquelle il filait, en coupant le flot comme
un brochet, caché dans l'entre-deux des vagues et
défiant ainsi toutes les lunettes de capitaines qui
surveillaient la Manche et l'espionnaient, de
chaque pointe de vague ou de falaise, dans ce
temps-là ! Vous rappelez-vous, Sainte, qu'un soir
de brume qu'il allait partir, vous voulûtes, en
riant, descendre dans cette frêle pirogue, et que
vous si légère alors, poids de fleur ou d'oiseau,
vous manquâtes de la faire chavirer, ma berge-
ronnette ! Et pourtant, c'était dans une pareille
coquille de noix qu'il passait par les plus exécra-
bles temps d'une côte à l'autre, toujours prêt à

revenir ou à partir, quand il le fallait ; toujours à l'heure, exact comme un roi, le roi des mers ! Certes, parmi ses compagnons d'armes, il y avait des cœurs qui auraient aussi bien que lui tenté l'aventure, qui n'avaient pas plus peur que lui de laisser leurs cadavres aux crabes et pour qui la manière de mourir était indifférente, quand il s'agissait du roi et de la France ; mais tout en l'imitant, nul d'entre eux n'eût cru réussir et n'eût certainement réussi !... Pour cela, il fallait être un homme à part, plus qu'un marin ! plus qu'un pilote ! Il fallait enfin être ce qu'il était, cet étonnant jeune homme que la guerre civile avait pris, n'ayant vu la mer que de loin, et n'ayant jamais fait autre chose que de tirer des mouettes autour de la gentilhommière de son père ! Aussi les vieux matelots du port de Granville, amateurs du merveilleux, comme tous les marins, quand ils surent la périlleuse vie du chevalier, pendant dix-huit mois de courses à peu près continuelles, dirent-ils qu'il *charmait* les vagues, comme on a dit aussi de Bonaparte qu'il *charmait* les balles et les boulets. Ils se connaissaient en audace. L'audace du chevalier ne les troublait donc pas, mais ils avaient besoin de s'expliquer son bonheur par une de ces idées superstitieuses qui sont familières aux matelots.

« Il aurait dû, en effet, vingt fois être pris ou succomber dans ces terribles passages ! Ce bonheur insolent et constant, cette imprudence si souvent recommencée et d'un résultat toujours assuré, donnaient à Des Touches une importance considérable parmi les autres officiers de la chouannerie du Cotentin. On sentait que, s'il périssait, on ne le remplacerait pas ! D'ailleurs, il

n'était pas qu'un courrier, infatigable et intrépide, qui savait son détroit de mer, comme certains guides pyrénéens savent leurs montagnes.
Partout, dans le hallier, dans l'embuscade, au
combat, lorsqu'il fallait jouer de la carabine ou
s'estafiler corps à corps avec le couteau, c'était un
des Chouans les plus redoutables, l'effroi des
Bleus, qu'il étonnait toujours, en les épouvantant,
quand, dans une affaire, il déployait tout à coup,
à travers ses formes sveltes et élégantes, la force
terrassante du taureau ! *C'est la guêpe !* disaient-ils,
les Bleus, en reconnaissant dans la fumée des
rencontres cette taille fine et cambrée, comme
celle d'une femme en corset : *Tirez à la guêpe !*
Mais la guêpe s'envolait toujours ivre du sang
qu'elle avait versé ; car *elle* avait une vaillance
acharnée et féroce. En toute occasion, ce mignon
de beauté était et restait l'homme du pouce si
cruellement mordu et coupé à la foire de Bricquebec ; le visage blanc, à la lèvre large et rouge,
signe de cruauté ! dit-on, et qu'il avait aussi rouge
que le ruban de votre croix de Saint-Louis,
monsieur de Fierdrap ! Ce n'était pas seulement
le fanatisme de sa cause qui l'exaltait quand,
avant ou après le combat, il se montrait implacable. Il était Chouan, mais il ne semblait pas de la
même nature que les autres Chouans. Tout en se
battant avec eux, tout en jouant sa vie à pile ou
face pour eux, il ne semblait pas partager les
sentiments qui les animaient. Peut-être chouan-
nait-il pour chouanner, lui, et était-ce tout ?...
Ces compagnons, ces guérillas, ces gentilshommes n'avaient pas uniquement Dieu et le roi dans
leur cœur. A côté du royalisme qui y palpitait,
il y avait d'autres sentiments, d'autres pas-

sions, d'autres enthousiasmes. La jeunesse ne
sonnait pas vainement, en eux, son heure brûlante. Comme les chevaliers, leurs ancêtres, ils
avaient tous ou presque tous *une dame de leurs
pensées* dont l'image les accompagnait au combat,
et c'est ainsi que le roman allait son train à travers
l'histoire. Mais le chevalier Des Touches ! je n'ai
jamais revu dans ma vie un tel caractère. A
Touffedelys où nous avons tant brodé de mouchoirs avec nos cheveux pour ces messieurs qui
nous faisaient la galanterie de nous les demander
et qui les emportaient comme des talismans, dans
leurs expéditions nocturnes, je ne crois pas qu'il y
en ait eu un seul de brodé pour lui. Qu'en
pensez-vous, Ursule ?... Toutes les recluses de
cette espèce de couvent de guerre l'intéressaient
fort peu, quoiqu'elles fussent la plupart fort
dignes d'être aimées, même par des héros ! Nous
pouvons bien le dire aujourd'hui que nous voilà
vieilles. Et d'ailleurs, je ne parle pas de moi,
Barbe-Pétronille de Percy, qui n'ai jamais été une
femme que sur les fonts de mon baptême, et qui,
hors de là, ne fus toute ma vie qu'un assez brave
laideron, dont la laideur n'avait pas plus de sexe
que la beauté du chevalier Des Touches n'en
avait !

« Mais je parle pour ces demoiselles de Touffedelys ici présentes, alors dans toute la splendeur
de la vie, deux cygnes de blancheur et de grâce,
auxquels il fallait mettre un collier différent
autour du cou pour les reconnaître ! Je parle pour
Hortense de Vély, pour Elisabeth de Maneville,
pour Jeanne de Montevreux, pour Yseult d'Or-
glande, et surtout pour Aimée de Spens, devant
qui toutes les autres, si radieuses fussent-elles,

s'effaçaient comme un brouillard de rivière devant le soleil. Aimée de Spens était de beaucoup la
plus jeune de nous toutes. Elle avait seize ans
quand nous en avions trente. C'était une enfant,
mais tellement belle, monsieur de Fierdrap,
qu'excepté ce cœur de brochet, le chevalier Des
Touches, il n'y eut peut-être pas un seul des
hommes de cette époque qui la vît sans l'aimer,
cette Aimée la bien nommée, comme nous l'appelions ! Du moins les onze gentilshommes de
l'expédition des Douze, puisque le douzième est
une femme, votre servante, baron de Fierdrap !
avaient-ils tous pour elle une passion romanesque
et déclarée, car tous, les uns après les autres, ils
avaient demandé sa main ! »

— Quoi ! ils l'ont aimée tous les onze ! dit le
baron, qui partit comme une bonde à ce trait,
frappé de ce détail singulier dans une histoire où
les événements étaient aussi étonnants que les
personnages.

— Oui, tous, baron ! reprit mademoiselle de
Percy, et les sentiments inspirés par elle ont plus
ou moins duré en ces âmes fortes. Quelques-uns
d'entre eux sont restés amoureux et fidèles. Vous
vous en étonneriez peu, du reste, si vous aviez
connu l'Aimée de cette époque, une femme qui
n'a pas eu de peintre, et comme vous n'en avez
peut-être jamais rencontré, vous qui avez tant
couru le monde !

— Halte ! fit M. de Fierdrap, qui avait été uhlan
en Allemagne ; halte ! répéta-t-il, comme s'il avait
eu toute sa compagnie de uhlans sur les talons.
J'ai connu en 180... lady Hamilton, et par les sept
coquilles que je porte ! mademoiselle, je vous jure
que c'était une commère à faire comprendre,

même à un quaker, les satanées bêtises que l'amiral Nelson s'est permises pour elle !

— Je l'ai connue aussi, dit à son tour l'abbé ;
mais mademoiselle Aimée de Spens, que tu vois
là, était encore plus belle. C'était comme le jour et
la nuit...

— Corne de cerf ! fit le baron de Fierdrap
surexcité, je vis un jour cette lady Hamilton en
bacchante...

— Par exemple ! interrompit railleusement
l'abbé, voilà comme jamais tu n'aurais pu voir
mademoiselle Aimée de Spens, Fierdrap !

— Et je te jure, dit le baron qui n'écoutait plus
et qui voulait raisonner...

— Que cela n'allait pas mal à cette grande fille
d'auberge, interrompit encore l'abbé, parbleu ! je
le crois bien ! Elle avait versé de son robuste bras
rose hâlé assez de cruches de bière aux palefre-
niers du Richemond pour jouer de l'amphore... et
du reste avec grâce ! Mais mademoiselle Aimée de
Spens n'était pas de cet acabit de beauté-là ! Ne
t'avise jamais, Fierdrap, de lui comparer personne ! Ma sœur a raison. On ne vit pas assez
longtemps pour rencontrer dans sa vie deux
femmes comme celle-là *a été*... La beauté unique
de son temps ! mon cher, et elle aura eu le sort de
tout ce qui est absolument beau ici-bas ! Il n'y
aura pas d'histoire pour elle... pas plus que pour
les onze héros qui l'ont aimée. Elle n'en aura
déshonoré aucun ; elle ne sera entrée dans la
baignoire d'aucune reine ; elle ne comptera point
parmi les intéressantes ravageuses de ce monde,
qui le bouleversent du vent de leurs jupes !
Pauvre magnifique beauté perdue, qui n'entend
même pas ce que je dis d'elle, ce soir, au coin de

cette cheminée, et qui n'aura été dans toute sa vie que le solitaire plaisir de Dieu !

Pendant que l'abbé de Percy parlait, le baron de Fierdrap regardait celle qu'il avait appelée le *solitaire plaisir de Dieu*, travaillant alors à sa broderie avec ses deux mains de madone. Il clignait de l'œil, M. de Fierdrap. C'était son tic et il en faisait une finesse. De son autre œil qu'il ne fermait pas, de son œil gris émerillonné, l'ancien uhlan allait du beau front d'Aimée, couronné de ses cheveux d'or bronze, de ce beau front à la Monna Lisa, au centre un peu renflé duquel le rayon de la lampe qui y luisait attachait comme une ferronnière d'opale, jusqu'à ces opulentes épaules moulées dans la soie gris de fer, collant au corsage, et peut-être pensait-il en voyant tout cela que, malgré le temps, malgré la douleur, malgré tout, il restait du *plaisir solitaire de Dieu* d'assez riches miettes pour que des hommes, et les plus difficiles des hommes, pussent faire encore une ripaille de roi !

Mais il ne dit pas ce qu'il pensait... Si des incongruités zigzaguèrent un instant dans son cerveau, il les contint sous sa perruque aventurine, et mademoiselle de Percy reprit son histoire, en haletant, comme une locomotive qui repart :

— Comme elle était une orpheline et, malheureusement, la dernière de sa race, Aimée de Spens passait une partie de ses jours avec nous, graves filles de trente ans, qui lui faisions comme une troupe de mères... Depuis quelque temps, elle habitait Touffedelys, quand elle y vit pour la première fois ce jeune homme inconnu qu'elle a aimé, et dont nous avons toujours ignoré le vrai nom, le pays et les aventures. A-t-elle su tout cela,

elle ? Dans les longues heures passées front à
front, sous les profondes embrasures de chêne de
la grande salle de Touffedelys, où nous les avons
tant laissés causer à voix basse, dès que nous
eûmes appris qu'ils s'étaient *promis* l'un à l'autre,
lui aura-t-il révélé le secret de sa vie ? Mais si cela
fut, elle l'a bien gardé ! Tout est enterré dans ce
cœur avec son amour ! Ah ! Aimée de Spens !
c'est une tombe, mais une tombe sous une plate-
bande de muguets calmes ! Tenez, monsieur de
Fierdrap, regardez l'air placide de cette fille finie,
dont la vie, depuis vingt ans, est désespérée et si
simple, de cette créature digne d'un trône, et qui
mourra pauvre dame en *chambre* du couvent des
Bernardines de Valognes. Elle n'entend plus ; elle
écoute à peine ; elle n'a pour tout que ce sourire
charmant qui vaut mieux que tout et qu'elle met
par-dessus tout. Elle ne vit que dans sa pensée,
que dans ses souvenirs, qu'elle n'a jamais profa-
nés par une confidence ! oubliant le monde et
résignée à l'oubli du monde, ne voyant que
l'homme qu'elle a aimé...

— Non, Barbe, non, elle ne le voit pas ! fit
ingénument mademoiselle Sainte, toujours au
seuil du monde surnaturel, et qui prit au pied de
la lettre la métaphore, assez modeste pourtant, de
mademoiselle de Percy. Depuis qu'il est mort, elle
ne l'a jamais vu, mais elle n'en est pas moins
hantée... et c'est plus particulièrement au mois
dans lequel il a été tué qu'il *revient* ! C'est pour
cela qu'elle ne peut pas, pendant ce mois-là, rester
seule dans sa chambre quand la nuit est tombée.
Toute sourde et archisourde qu'elle est, elle y
entend très bien alors des bruits étranges et
effrayants. On y soupire dans tous les coins et

il n'y a personne ! Les anneaux de cuivre des
rideaux grincent sur leurs tringles de fer, comme
si on les tirait avec violence... Une fois, je les ai
entendus avec elle, et je lui dis tout épeurée, car
les cheveux m'en *grigeaient* sur le front : « C'est
bien sûr *son âme* qui revient vous demander des
prières, Aimée ! » Et elle me répondit gravement
et moins troublée que je n'étais : « Je fais toujours
dire une messe à l'autel des morts, le lendemain
des soirs où j'entends cela, Sainte ! » Or, c'était
bien vrai que c'était *sa* messe qu'*il* voulait, car une
fois Aimée, ayant tardé d'un jour à la faire dire
comme d'habitude le lendemain des bruits, ils
devinrent affreux la nuit suivante ! Les rideaux
semblèrent fous sur leurs tringles, et toute la nuit
les meubles craquèrent comme des marrons
qu'on n'a pas coupés et qui sautent hors du feu !

— Eh bien, reprit mademoiselle de Percy,
mécontente d'avoir été pendant si longtemps
interrompue, cette Aimée qui croit aux fantômes,
mais pas comme vous, Sainte ! — elle lui payait
par ce petit mot de mépris son interruption, à cette
pauvre et benoîte brebis du bon Dieu, qui avait
bêlé hors de propos, — cette Aimée, qui peut très
bien croire à ceux-là qu'elle voit dans son cœur, a
toujours été et est encore pour nous, monsieur de
Fierdrap, un mystère, plus profond et plus étonnant que le mystère de son fiancé. Lui, n'a fait
que paraître et disparaître. Quoi donc d'étonnant
à ce que nous n'en ayons jamais rien su ?... Mais
nous avons vécu vingt-cinq ans avec elle, et nous
n'en savons pas sur elle beaucoup davantage !
Quand cet inconnu, resté pour nous un inconnu,
vint au château de Touffedelys, il fut précisément
amené par notre chevalier Des Touches. Aimée

connaissait le chevalier. Elle l'avait vu à plusieurs reprises dans l'Avranchin, chez une de ses tantes, madame de la Roque-Piquet, une vieille Chouanne qui ne pouvait pas chouanner comme moi, car elle était cul-de-jatte, mais qui chouannait à sa manière, en cachant, le jour, des Chouans dans ses celliers et dans ses granges, pour les expéditions de nuit. Aimée avait retrouvé le chevalier à Touffedelys, et moi qui, dès lors, avec ma laideur cramoisie, n'avais qu'à observer l'amour... dans les autres, j'avais craint parfois, mais sérieusement, qu'elle ne l'aimât... Du moins, toujours quand le chevalier était là... était-ce l'effet de la beauté éblouissante de cet homme, peut-être plus fémininement beau qu'elle ?... j'avais remarqué sur les paupières obstinément baissées de la belle et noble Aimée un frissonnement, et, sur son front rose, un ton de feu, qui m'avaient souvent inquiétée... Ame de ma vie ! ils auraient fait, cela n'est pas douteux, un superbe couple ! Mais outre que le petit chevalier de Langotière n'était pas de souche à épouser une de Spens, il semblait, à ma Minerve, à moi, qu'un homme comme Des Touches devait être terrible à aimer !

« Dieu y para. Elle ne l'aima point. Celui qu'elle aima fut, au contraire, ce compagnon du chevalier, qui arriva avec lui une nuit à Touffedelys, par une de ces épouvantables tempêtes que Des Touches préférait au calme des nuits claires pour ses passages.

« Vous souvient-il de cette nuit-là, Ursule ?... Nous ne dormions pas, nous étions dans le grand salon, occupées, vous et Aimée, à faire de la charpie et moi à fondre des balles, car je n'ai jamais aimé les chiffons ; veillant comme ce soir, mais moins tranquilles. Tout à coup le cri de la chouette s'entendit et tous deux entrèrent dans leurs peaux de bique ruisselantes semblables à des loups tombés dans la mer. Le chevalier Des Touches nous présenta son compagnon comme un gentilhomme qui avait fait longtemps la guerre du Maine sous le nom de *M. Jacques* qu'on lui donnait encore... »

— Par Dieu ! fit le baron de Fierdrap, qui tressaillit à ce nom comme à un coup de carabine, il est bien connu ce pseudonyme-là dans le Maine ! Il y a insurgé assez de paroisses. Il y a fait lever assez de *fertes* ! Il y est resté assez glorieux ! *M. Jacques !* Mais Jambe-d'Argent lui-même se courbait devant l'intrépidité et le génie de général de *M. Jacques !* Seulement, mademoiselle, il devait être mort vers cette époque, si c'était celui-là ?...

— Oui, on l'avait cru mort, reprit mademoiselle de Percy, mais, après avoir échappé aux Bleus, il s'était réfugié en Angleterre, où les Princes l'avaient chargé d'une mission personnelle auprès de M. de Frotté ; et c'est pour cela qu'il était venu de Guernesey à la côte de France dans ce canot de Des Touches, où il ne pouvait tenir qu'un seul homme, et qui faillit cent fois sombrer, sous le poids de deux ! Pour supprimer tout fardeau inutile, ils avaient ramé avec leurs fusils...

« M. de Frotté était alors sur les confins de la Normandie et de la Bretagne, cherchant à ranimer des insurrections expirantes... *M. Jacques* alla seul l'y joindre et revint quelque temps après à Touffedelys grièvement blessé. En y revenant, il avait été obligé de se glisser entre les tronçons épars des Colonnes Infernales, qui pillaient et

massacraient le pays, et il avait essuyé je ne sais
combien de coups de feu, dont les derniers tirés
l'atteignirent... Quand il rentra à Touffedelys sur
un cheval blessé comme lui, le cheval et l'homme,
rouges de sang, tombèrent, le cheval mort sous
l'homme mourant et sans connaissance. Les balles
dont il était criblé le clouèrent longtemps à
Touffedelys. Ses blessures, qu'il fallut soigner, l'y
retinrent. Elles étaient nombreuses et nous pûmes
les compter, car nous les pansâmes toutes, ma foi,
de nos mains de demoiselles ! On ne faisait pas de
pruderie dans ce temps-là. La guerre, le danger
avaient emporté toutes les affectations et les
petites mines. Il n'y avait pas de chirurgiens au
château de Touffedelys ; il n'y avait que des
chirurgiennes. J'étais la chirurgienne en chef. On
m'appelait « le Major » parce que je savais mieux
débrider une blessure que toutes ces trembleuses. »

— Tu la débridais comme tu l'aurais faite ! dit
l'abbé.

Pour mademoiselle de Percy, cette vieille héroïne
inconnue, l'opinion de l'abbé représentait la
Gloire. Elle devint plus pivoine que jamais à
l'observation de son frère.

— Oui, elles m'appelaient « le Major », continua-t-elle avec la gaieté de l'orgueil flatté, et comme
c'était moi qui faisais d'ordinaire l'inventaire des
blessures que nous avions à fermer, je me rappelle
que, quand je vis l'épouvantable hachis du corps de
M. Jacques, étendu devant nous, je regardai circulairement tout mon groupe d'aides, alors très pâles,
et comme j'ai toujours été un peu saint Jean bouche
d'or...

— Et plus bouche d'or que sainte, glissa encore
l'abbé.

— ... Je leur dis, gaillardement, pour leur donner du courage, en leur désignant le blessé
évanoui : « Mort de ma vie ! si nous le sauvons,
quel beau bijou guilloché ce sera pour celle de
vous qui voudra se le passer autour du cou,
mesdemoiselles ! »

« Elles se mirent à rire comme des folles, mais
Aimée resta sérieuse et en silence. Elle avait rougi.

« Elle rougit aussi pour Des Touches ! pensai-je. Laquelle donc de ces deux rougeurs est
l'amour ?...

« C'était, du reste, comme le chevalier Des
Touches, un homme que je n'aurais jamais songé
à aimer, ce *M. Jacques*, si j'avais été bâtie pour les
sentiments tendres. Il n'avait pas la beauté féminine et cruelle du chevalier, mais quoique la
sienne fût plus virile, plus brune et plus ardente,
elle avait aussi son côté femme : la mélancolie.
Les hommes mélancoliques me sont insupporta-
bles. Je les trouve moins hommes que les autres.
M. Jacques était ce qu'on a appelé longtemps *un
beau ténébreux*. Or, je suis de l'avis de cette coquine
de Ninon qui disait : « La gaieté de l'esprit prouve
sa force. » Je me moque de l'esprit... et je n'y tiens
pas, mais cela est certain que la gaieté est un
courage... un courage de plus ! *M. Jacques*, que ces
dames, qui ne pensaient pas comme moi, appelaient, à Touffedelys, pour le poétiser, « le beau
Tristan », m'aurait donné sur les nerfs, avec son
impatientante mélancolie, — si une grosse fille de
mon calibre pouvait avoir des nerfs ! Que voulez-vous ? il faut pour moi que les héros eux-
mêmes soient de bonne humeur et rient à la
figure de tous les dangers. »

— Oh ! vous avez toujours été, mademoiselle de

Percy, fit l'abbé, un vrai Roger Bontemps, qui, dans une autre époque qu'une époque de révolution, aurait inquiété sa famille. Ce n'était pas seulement des héros qu'il vous fallait à vous, c'était des lurons d'héroïsme ! Dieu a bien fait de vous faire laide, et tous les matins, je l'en remercie à la messe ; car peut-être l'honneur des Percy eût-il couru grand risque, sans cette précaution.

— Riez toujours ! riez, allez, mon frère, répondit-elle, riant elle-même, montrant combien elle aimait la gaieté par la façon dont elle accueillait la plaisanterie. Tout vous est permis contre votre cadette. N'êtes-vous pas le chef de notre maison ?

— C'est vrai, glissa alors mademoiselle Ursule, qui n'avait rien dit jusque-là et qui intervint dans la causerie, pendule retardée qui sonnait ! c'est vrai qu'il n'était pas très aimable, ce *M. Jacques*, il était triste comme un bonnet de nuit.

— Comme un bonnet rouge plutôt ! interrompit l'impétueuse mademoiselle de Percy. Les révolutionnaires de tous les pays se ressemblent. Les jacobins français étaient aussi rechignés, aussi solennels, aussi pédants que les puritains d'Angleterre. Je n'en ai pas connu un seul qui fût gai, tandis que tous l'étaient parmi les royalistes, qui avaient gardé l'esprit du pays qu'on nommait autrefois « la gaye France » parmi ces fiers *gars* qui avaient tout perdu et même l'espérance, mais qui se consolaient de tout, par la guerre, par le piquant inattendu de l'aventure et la risette des coups de fusil !

— Mais, s'il était triste, dit mademoiselle Ursule, qui reprit, comme la fourmi reprend son brin de paille, sa petite idée interrompue par cette fanfare d'enthousiasme militaire qui venait de passer sur son cerveau, comme une trombe sur une couche à cornichons, s'il était triste, vous savez bien, ma chère Percy, qu'on disait qu'il avait des raisons pour l'être. Vous savez bien qu'on se disait dans le tuyau de l'oreille qu'il était un commandeur de Malte, et qu'il avait prononcé ses vœux...

— Oui, répondit mademoiselle de Percy, admettant l'objection, cela se chuchotait, et si réellement il était commandeur de Malte, l'idée de ses vœux dut le faire cruellement souffrir quand il devint amoureux de cette Aimée qu'il ne pouvait pas épouser, car les chevaliers de Malte étaient tenus à célibat comme les prêtres... mais de cela quelle preuve avons-nous jamais eue !... si ce n'est cette affreuse pâleur de mort qui lui couvrit tout à coup le visage le jour où, à table, au dessert, Aimée nous apprit qu'elle s'était *engagée*, en vous disant, Ursule, devant nous toutes, rose de pudeur et de l'effort que lui coûtait cet aveu qui, pour nous, était une nouvelle :

« — Ma chère Ursule, je vous en prie, donnez des fraises à mon fiancé !

« Il devait être heureux d'un tel mot, et il devint livide... Mais toutes les pâleurs ne se ressemblent-elles pas ? Qui peut reconnaître la pâleur d'un homme heureux de celle d'un traître ? S'il en était un, si vraiment il avait menti avec Aimée, le coup de feu qui l'abattit à mes pieds, la nuit de l'enlèvement, a fait à la pauvre fille moins de mal que ce qui l'attendait, s'il était revenu avec nous. Elle a gardé l'illusion qu'il *pouvait être à elle*, et lorsque je lui rapportai le bracelet qu'elle lui avait fait devant nous des plus belles tresses de sa chevelure, elle ne sut pas, et depuis elle n'a su jamais que le sang dont il était couvert pouvait être celui d'un homme qui l'avait trompée. »

— Mais Des Touches ! mais Des Touches ! fit M. de Fierdrap, qui depuis sa *remembrance* sur lady Hamilton n'avait plus rien dit, et qui regardait mademoiselle de Percy comme il devait regarder le liège de sa ligne quand le poisson ne mordait pas. Il avait les deux plus belles patiences du monde : — celle du pêcheur à la ligne et celle du chasseur à l'affût, et il en avait aussi la double obstination.

— Fierdrap a raison, dit l'abbé, toujours taquin. Tu t'*égailles* trop, ma sœur. Vieille habitude de Chouanne ! Tu chouannes... jusque dans ta manière de raconter.

— Ta, ta, ta ! fit mademoiselle de Percy, contenez vos jeunesses. Des Touches ! je vais y arriver ; mais, mort Dieu ! je ne puis pas en venir à Des Touches et à son enlèvement sans vous parler d'un homme qui a joué le plus grand rôle dans cette crânerie, puisque c'est le seul qui y soit resté !

— Ce n'est pas une raison, cela, dit gravement l'abbé, dans une expédition pareille, il y a plus important que de bien mourir.

— Il y a réussi, repartit la vieille amazone qui avait gardé sous ses cottes grotesques le génie de l'action virile ; mais il a réussi, mon frère, puisque nous avons réussi et qu'il était avec nous ! D'ailleurs, quoique je ne me soucie guère de ce beau Tristan, comme on disait à Touffedelys, qui a laissé sa tristesse sur la vie d'Aimée, je n'en serai pas moins juste envers lui. Il n'y allait pas gaiement, mais il y allait ! C'est lui, c'est ce sentimental qui, lors du premier emprisonnement de Des

Touches à Avranches, prit une torche dans sa languissante main, entra résolument dans la prison et n'en sortit que quand tout fut à feu !

— Comment, à Avranches ? objecta le baron de Fierdrap étonné, mais c'est à Coutances que vous avez délivré Des Touches, mademoiselle !

— Ah ! fit mademoiselle de Percy heureuse d'une ignorance qui donnait de l'inattendu à son histoire. Vous étiez en Angleterre en ce temps-là, vous et mon frère, et vous n'avez su que l'enlève-ment qui, de fait, eut lieu à Coutances ; mais avant d'être emprisonné dans cette ville, c'est à Avranches qu'il l'avait été, et il ne fut même transféré à Coutances que parce qu'à Avranches nous avions tenté de brûler la prison.

— Très bien, dit le baron de Fierdrap apaisé, je ne savais pas, mais j'en suis enchanté, que le chevalier Des Touches eût autant coûté à la République !

— Laisse-la donc conter, Fierdrap, fit l'abbé, qui, de tous, était celui-là qui avait le plus inter-rompu la conteuse et qui se montrait le plus animé contre ceux qui avaient son vice, selon la coutume de tous les vicieux et de tous les inter-rupteurs.

— C'était donc vers la fin de l'année 1799, reprit l'historienne du chevalier Des Touches. Il y avait plusieurs mois que *M. Jacques* était avec nous à peu près guéri, mais affaibli et souffrant encore de ses blessures. Pendant cette longue convales-cence de *M. Jacques* à Touffedelys, où il vivait caché, comme on vivait dans ce temps-là, quand on ne se trouvait pas le fusil à la main, au grand air, sous le clair de lune, Des Touches, lui, le *charmeur de vagues*, était repassé peut-être vingt

fois de Normandie en Angleterre et d'Angleterre
en Normandie. Nous ne le voyions pas à chacun
de ses passages. Souvent, il débarquait sur des
points extrêmement distants les uns des autres,
pour dépister les espions armés et acharnés, qui,
tapis sous chaque dune, aplatis dans le creux des
falaises, couchés à plat ventre au fond des anses,
le long de ces côtes dentelées de criques, cer-
naient la mer de toutes parts et faisaient coucher à
fleur de sol des baïonnettes et des canons de fusil
qui ne demandaient qu'à se lever ! Plus il allait, ce
chevalier Des Touches, traqué sur mer par des
bricks, traqué sur terre par des soldats et des
gendarmes, plus il allait, cet homme qui caressait
le danger comme une femme caresse sa chimère,
ce rude joueur qui jouait son va-tout à chaque
partie, et qui gagnait, plus il était obligé cependant, malgré son impassible audace, d'user de
précautions et d'adresse ; car le bonheur inouï de
ses passages avait exaspéré l'observation de ses
ennemis, pour lesquels il était devenu l'homme
de son nom, *la Guêpe !* la guêpe, insaisissable et
affolante, l'ennemi invisible, le plus provocant et
le plus moqueur des ennemis ! Il ne faisait plus
l'effet d'un homme en chair et en os, mais,
comme je l'ai souvent ouï dire aux gens de mer de
ces rivages, « d'une vapeur, d'un farfadet » ! Il y
avait entre les Bleus et lui, et les Bleus, ne l'ou-
bliez pas, c'était tout le pays organisé contre nous,
groupes de partisans éparpillés à sa surface, qui
ne nous rattachions les uns aux autres que par des
fils faciles à couper ; il y avait entre les Bleus et lui
un sentiment d'amour-propre excité et blessé,
plus redoutable encore, à ce qu'il semblait, que
l'implacable haine de Bleu à Chouan !... La

guerre entre eux était plus que la guerre, c'était de
la chasse ! C'était le duel que vous connaissez,
monsieur de Fierdrap, entre la bête et le chasseur ! Déjà plus d'une fois, racontait-on dans les
cabarets et les fermes du pays, dont cet homme est
peut-être encore la légende, il avait été sur le
point d'être pris. On lui avait tenu, disaient les
paysans narquois, la main diablement près des
oreilles... On rapportait même un fait, mais celui-là était avéré (il avait eu la notoriété d'un
combat en *règle*), c'est qu'une fois, au cabaret de *la
Faux*, dans les terres entre Avranches et Granville,
il s'était battu, seul, contre une troupe de républicains, enfermé et barricadé dans le grenier du
cabaret, comme Charles XII à Bender, et qu'après
avoir tiré toute la nuit par les lucarnes et mis par
terre une soixantaine de Bleus, il avait disparu au
jour, par le toit... On ne savait comment, disaient
les femmes dont il frappait l'imagination supersti-
tieuse, mais comme s'il eût eu des ailes au dos et
sur la langue du *trèfle à quatre feuilles* !

« Ainsi, il n'était pas un farfadet que sur la mer,
il l'était aussi sur le *plancher des vaches*. Beaucoup
d'expéditions de terre, dont il avait fait partie,
l'avaient prouvé, du reste. Seulement, il ne pouvait pas l'être toujours ! La martingale qu'il jouait
devait nécessairement avoir un terme, et le danger qu'il courait sous les deux espèces, il devait y
succomber à la fin. Or, cet espoir de prendre Des
Touches, de tenir *la Guêpe*, et de pouvoir bien
l'écraser sous son pied, avivait et transportait
jusqu'au délire ces âmes irritées et créait pour lui
un péril si certain et tellement inévitable que,
dans l'opinion des hommes de son parti, comme
dans celle de ses ennemis, sa prise ou sa mort

n'était plus qu'une question de temps, et que, quand, à Touffedelys, on vint nous dire cette terrible nouvelle : « Des Touches est pris ! » nous n'eûmes pas même un étonnement.

« Celui qui vint nous la dire, à Touffedelys, cette terrible nouvelle, était un jeune homme de cette ville-ci, dont vous ne savez probablement pas le nom, quoique vous soyez du pays, monsieur de Fierdrap, car il n'était pas gentilhomme. Il s'appelait Juste Le Breton. L'un des préjugés que les Bleus ont le plus odieusement exploités contre nous, c'est que, dans la guerre des Chouans, nous n'étions que des gentilshommes qui remorquaient les paysans au combat, et rien n'est plus faux. Nous avions avec nous des jeunes gens des villes, dignes de porter l'épée qu'ils maniaient très bien, et Juste Le Breton était de ceux-là... Il avait été anobli par l'épée des gentilshommes qui l'avaient traité en égal, en croisant le fer avec lui dans plusieurs de ces duels, comme on en avait alors à Valognes, où le duel a été longtemps une tradition... Aussi, quand la chouannerie éclata, il vint à nous, cet anobli par l'épée, et il nous apporta la sienne ! La sienne était au bout d'un bras d'hercule. Juste était fort comme le chevalier Des Touches, mais il ne cachait pas sa force sous les formes sveltes et élancées du chevalier, qui faisait toujours cette foudroyante surprise, quand tout à coup il la montrait ! Non, c'était un homme trapu et carré, blond comme un Celte qu'il était, car son nom de Le Breton disait son origine. C'était un Breton mêlé de Normand. Sa famille avait passé en Normandie, et elle y avait oublié ses rochers de Bretagne pour les pâturages de cette terre qui a des griffes pour retenir qui la touche, car qui la touche ne peut s'en détacher ! Il semblait qu'il aurait fallu, pour tuer ce Juste Le Breton, lui jeter une montagne sur la tête, et il est mort en duel, après la guerre, comme nous avions cru jusqu'à ce soir que Des Touches était mort lui-même, et il est mort d'un misérable coup d'épée dans l'aine, le croira-t-on ? sans profondeur. Je l'ai vu cracher le sang six mois et mourir épuisé comme une fille pulmonique, avec une poitrine qui ressemblait à un tambour ! Juste savait, à n'en pouvoir douter, que Des Touches était pris, mais il ignorait encore comment il avait été pris. Avec un pareil homme, nous dit-il, et nous pensions comme lui, il fallait qu'il y eût de la trahison !

« Il y en avait eu, en effet, je l'ai su plus tard, et ce fut même là, comme vous le verrez, une bonne occasion pour juger du granit coupant qu'avait dans le ventre ce beau et délicat Des Touches, qui m'avait fait un instant peur pour Aimée, quand, à ses rougeurs incompréhensibles, je m'étais imaginé qu'elle pouvait l'aimer !

« — Un homme comme Des Touches, dit *M. Jacques*, ne peut jamais être pris, tant qu'il y a un Chouan debout, avec un fusil et une poire à poudre.

« — Il n'en faut pas même tant, fit tranquillement Juste. Avec nos seules mains vides, nous le reprendrions !

« C'était dans les environs d'Avranches que Des Touches avait été enveloppé et saisi par une troupe tout entière, on disait tout un bataillon, et c'est dans la prison de cette ville qu'il avait été déposé, en attendant son exécution, qui serait certainement bientôt faite, car la République n'y allait jamais de main morte, et ici, il fallait qu'elle

y allât de main très vive, si elle ne voulait pas que
cet homme, l'idole de son parti et doué du génie
des ressources, échappât à ses bourreaux ! « La
chouette a sifflé du côté de Touffedelys ! » ajouta
Juste Le Breton, et le soir même, à la tombée,
nous vîmes arriver au château, sous des déguisements divers de colporteurs, de mendiants, de
rémouleurs et de marchands de parapluies, — car
cette guerre de Chouans était nocturne et mas-
quée, — une grande quantité de nos gens, qui, au
premier bruit de la prise de Des Touches,
s'étaient juré de le délivrer ou d'y périr.

« Il en vint même trop. Ce fut une folie que ce
grand nombre, dirigé sur un point unique et
venant aboutir à Touffedelys. Mais cela vous
donnera une idée de l'importance du chevalier
Des Touches, que les Chouans, qui avaient la
prudence au même degré que la bravoure, aient
pu compromettre un instant, par un zèle trop vif,
l'existence d'un quartier général, aussi commode,
pour des guérillas comme eux, que le château de
Touffedelys ?

« Vous ne vous doutez pas, monsieur de Fierdrap, ni vous non plus, mon frère, de ce que, dans
l'intérêt de notre cause et de ses défenseurs, nous
avions fait de Touffedelys ; et si je ne vous le
disais pas, mon histoire serait incomplète. Nous
avions transformé ce vieux château démantelé,
sans pont-levis et sans herse, qui n'était plus
depuis longtemps un château fort, mais qui était
encore une noble demeure, en un château humilié et paisible auquel la République pouvait
pardonner. Nous en avions fait combler les fos-
sés, baisser les murs, et si nous n'en avions pas
abattu les tourelles, nous les avions du moins

découronnées de leurs créneaux, et elles ne semblaient plus que les quatre spectres blancs des
anciennes tourelles décapitées ! Partout où elles
brillaient autrefois, sur la grande façade du
château, dans les coins des plafonds, sur les
hautes plaques des cheminées, et jusque sur les
girouettes des toits, nous avions fait effacer ces
armoiries charmantes et parlantes des Touffedelys, qui portent, comme vous le savez, de *sinople à
trois touffes de lys d'argent,* avec la devise au jeu de
mots héroïque : ILS NE FILENT PAS. Hélas ! les
pauvres lys, ils avaient filé ! Ils s'en étaient allés
jusque de ce jardin où, de génération en génération, on en cultivait d'immenses corbeilles qui
faisaient de loin ressembler le vaste parterre à une
mer couverte de l'albâtre de ses écumes ! Nous
avions partout remplacé les lys par des lilas.

« Des lilas, c'est peut-être des lys en deuil ? Oui,
nous avions accompli tous ces sacrilèges, nous
avions consommé toutes les petites bassesses de la
ruse qui joue la soumission résignée pour conser-
ver à nos amis ce lieu de réunion et d'asile, doux
et désarmé comme son nom, qui semblait la
maison de l'Innocence, et dans laquelle on voyait
moins les hommes et les armes derrière ces robes
de femmes qui y flottaient toujours. Excepté les
jardiniers, il n'y avait que des femmes à Touffedelys. Nous étions servis par des femmes.

« C'est à l'aide de toutes ces précautions, de
toutes ces coquetteries de douceur que nous
avions pu faire de notre nid de palombes ef-
frayées une aire momentanée pour ces aigles de
nuit qui s'y abattaient comme Des Touches et
comme *M. Jacques.* Seulement, vous le comprenez
bien, la sécurité de tout cela n'existait qu'à la

condition que les Chouans qui s'abouchaient là
pour comploter leur guerre d'embuscade n'y
fussent jamais très nombreux.

« La prise de Des Touches fut l'unique déroga-
tion qui ait été faite à cette règle. Mais les chefs
comprirent l'imprudence d'une grande réunion,
et ils *égaillèrent* leurs hommes. Quand un pays tout
entier est hostile, les petites troupes valent mieux
que les grandes. Elles sont plus résolues, leurs
efforts plus ramassés et plus puissants, leur action
plus rapide, leur marche plus cachée. Quelques
hommes suffisaient pour enlever Des Touches, et
ceux qu'on choisit à Touffedelys étaient hommes
à aller le reprendre sous le tranchant de la
guillotine ou à la gueule de l'enfer... Ce sont
ceux-là que depuis on a appelés les *Douze*, et qui
ont perdu dans ce nom collectif des *Douze* leur
nom particulier, que personne ne sait à cette
heure. »

— Parfaitement vrai ! dit M. de Fierdrap intéressé, qui décroisa ses jambes de cerf, et refit, en
sens inverse, l'X qu'elles formaient. Nous n'avons
pas entendu dire un seul de leurs noms en
Angleterre, n'est-ce pas, l'abbé ? et Sainte-Suzanne lui-même ne les savait pas.

— Et quand celle qui vous raconte cette histoire,
au coin du feu, dans cette petite ville endormie,
reprit mademoiselle de Percy, sera couchée dans
sa bière, sous sa croix, dans le cimetière de
·Valognes, il n'y aura plus personne pour dire ces
noms oubliés à personne... Ceux qui les ont portés
étaient trop fiers pour se plaindre de l'injustice ou
de la bêtise de la gloire.

« Aimée, que vous voyez d'ici, abîmée en elle-
même bien plus que dans sa broderie, s'est

absorbée dans son *M. Jacques,* et Sainte et Ursule de Touffedelys ne vous diraient peut-être pas tous les douze noms des *Douze,* mais moi, je le puis, je les sais ! Et, après ma mort, — ajouta-t-elle, presque belle d'enthousiasme mélancolique, elle, qui n'était qu'un laideron joyeux, — tout le temps que je ne serai pas tout à fait dissoute en poussière, on n'aura qu'à ouvrir mon cercueil pour les savoir, ces noms qui méritaient la gloire et qui ne l'ont pas eue ! On les trouvera dans mon cœur. »

CHAPITRE V

LA PREMIÈRE EXPÉDITION

— Le château de Touffedelys, continua mademoiselle de Percy, après un moment de silence
ému, que les personnes qui l'entouraient avaient
respecté, n'était pas à beaucoup plus de trois
heures de marche d'Avranches, pour un homme
allant d'un bon pas. Entouré du côté de cette ville
des masses profondes de ces grands bois, dans
lesquels les Chouans aimaient à se perdre pour se
retrouver dans leurs clairières, et du côté opposé
par ces espèces de dunes mouvantes nommées
bougues qui aboutissaient à la mer et à ces falaises
dont les hautes et étroites jointures avaient été
souvent, pour Des Touches et son esquif, des
havres sauveurs ; ce château, qui avait le double
avantage des bois et de la mer, fut choisi naturellement par les Douze comme point de retraite ou
de refuge dans l'expédition qu'ils projetaient, et il
fut convenu parmi eux qu'on y ramènerait le
chevalier Des Touches, si on parvenait à l'enlever.

— Mais leurs noms, mademoiselle, leurs noms !
dit M. de Fierdrap qui, de curiosité et d'impatience, piétinait le parquet de son pied guêtré.

— Leurs noms ! baron ! répondit la conteuse,
ah ! n'allez pas croire que je pense à vous les

cacher ! Je suis trop heureuse de les dire. Il y a eu assez d'anonymes et de pseudonymes comme cela dans cette guerre de sublimes dupes que nous avons faite, et, par la Mort-Dieu ! je n'en veux plus ! Croyez-le bien, vous m'en auriez laissé le temps qu'ils auraient tous trouvé leur place dans l'histoire que je vous raconte, mais puisque vous le désirez, je m'en vais vous les défiler, tous ces noms, tous ces grains d'un chapelet d'honneur qu'après moi ne dira plus personne ! Ecoutez-les : C'étaient La Varesnerie, La Bochonnière, Cantilly, Beaumont, Saint-Germain, La Chapelle, Campion, Le Planquais, Desfontaines et Vinel-Royal-Aunis, qui n'était que Vinel, en son nom, mais qui s'appelait Royal-Aunis, du nom du régiment dans lequel il avait été officier. Les voilà tous, avec Juste Le Breton et *M. Jacques* ! Comme *M. Jacques*, dont le nom vrai s'est perdu sous le sobriquet de bataille, ils avaient tous aussi leur nom de guerre, pour cacher leur véritable nom et ne pas faire guillotiner leurs mères ou leurs sœurs, restées à la maison, et trop vieilles ou trop faibles pour faire, comme moi, la guerre avec eux.

En entendant ces noms, qui n'étaient pas tous des noms nobles cependant, prononcés par un sentiment si profond qu'il donnait presque à cette vieille fille, coiffée de son baril de soie jaune et violet, la majesté d'une Muse de l'histoire, l'abbé de Percy et M. de Fierdrap eurent, d'instinct de sang, le même mouvement de gentilshommes. Ils ne pouvaient pas se découvrir, puisqu'ils étaient tête nue, mais ils s'inclinèrent à ces noms d'une troupe héroïque, comme s'ils avaient salué leurs pairs.

— Par la pêche miraculeuse ! clama le baron de
Fierdrap, il me semble que j'en connais plusieurs
de ces noms-là, mademoiselle ! Et même, ajouta-
t-il, tombant dans la rêverie et comme cherchant
dans le fouillis de ses souvenirs, et même aussi je
crois avoir rencontré, je ne sais plus trop où,
plusieurs de ceux qui les portèrent. La Varesnerie, Cantilly, Beaumont, je les ai connus. Seulement lorsque je les ai rencontrés, ni allusion, ni
mot d'eux ou de personne ne m'a averti une seule
fois que j'avais là, devant moi, de ces hardis
partisans qui avaient délivré Des Touches !...
Mais, mademoiselle, fit-il encore en se ravisant, je
vous demande pardon, je n'y pensais pas... En fait
de héros, les Chouans comptaient donc treize à la
douzaine, puisque vous n'avez pas dit votre nom
parmi les noms des Douze, et que pourtant vous
en étiez.

— Non, répondit la vieille historiographe sans
plume, et qui ne l'était que de bec, je n'en étais
pas, monsieur de Fierdrap. Je ne fus point de la
première expédition des Douze ; je n'ai été que de
la seconde, et vous saurez pourquoi tout à l'heure,
si vous me permettez de continuer.

« La première ne parut d'abord douteuse à
personne. On ne comptait, pour toute garnison à
Avranches, que ce bataillon de Bleus, qui avaient
pris Des Touches et l'avaient amené à la prison de
cette ville, la plus rapprochée de l'endroit où ils
l'avaient surpris et capturé, car, vertu de ma vie !
lorsqu'on parle de ce Des Touches, qui valait bien
dans ce moment-là le prix d'un vaisseau de ligne
pour le roi de France, on peut bien, ma foi ! dire
capturé. Des Touches n'était pas un simple prisonnier, c'était une capture ! Juste Le Breton se

cassait la tête pour savoir comment ils avaient pu
le prendre, lui, ce Samson sans Dalila ! lui, *la
Guêpe*, lui, le farfadet ! Mais le fait était là... Il
avait été pris ! Juste disait l'avoir vu entrer dans
Avranches, porté au centre du bataillon des Bleus
massés autour de lui, armes chargées. Il l'avait vu
ayant aux poings des chaînes en fer au lieu de
menottes, bâillonné avec une baïonnette qui lui
coupait les coins de la bouche ; durement couché
sur une civière de fusils, aux canons desquels on
l'avait bouclé avec des ceinturons de sabre, et
moins fou de fureur de tous ces supplices que de
sentir contre son visage le contact du drapeau
exécré de la République, dont, en marchant, ces
Bleus insolents souffletaient, pour l'humilier, son
front terrible. Certes, de tels gens défendraient
avec acharnement le chevalier des Touches
contre ceux qui tenteraient de le leur reprendre ;
mais il n'y avait en somme, avec eux, qu'une
brigade de gendarmerie et une garde nationale
mal armée, qui comptait, disait-on, un grand
nombre de royalistes dans ses rangs. Enfin ce qui
donnait surtout à nous autres le grand espoir de
réussir, c'est qu'il allait y avoir le lendemain, à
Avranches, une grande foire de bœufs et de chevaux qui durait trois jours, et que, d'une vingtaine
de lieues à l'entour, il viendrait s'emplir et
s'accumuler, dans cette petite ville proprette, une
masse compacte de bêtes et de gens, qui rendrait
la surveillance d'une police bien plus difficile, et
qui devait augmenter épouvantablement le désordre à l'aide duquel on voulait exécuter l'enlèvement. Il s'agissait, en effet, de provoquer une
de ces rixes qui sont contagieuses, qui finissent
par entraîner les plus calmes dans la violence

électrique de leur tourbillon. Les Douze eurent
bientôt leur plan fait... Ils quittèrent Touffedelys
un à un, et gagnèrent Avranches par les bois. Pour
n'être pas reconnus, ces hommes suspects, et
déconcerter l'œil allumé des espions de la République, ils avaient résolu d'entrer dans la ville par
douze côtés différents, habillés en blatiers, vêtus
comme eux de vareuses blanches et coiffés de ces
grands chapeaux, dit *couverture à cuve*, qui englou-
tissent une figure comme dans l'ombre d'une
caverne. Ils les avaient saupoudrés de fleur de
farine.

« — Puisque nous ne pouvons pas porter l'autre, ce sera toujours une espèce de cocarde blanche, à laquelle nous nous reconnaîtrons dans la
foule, avait dit Vinel-Royal-Aunis.

« Il n'y avait pas eu moyen d'emporter des
fusils ou des carabines. Mais quelques-uns d'entre
eux avaient glissé dans une ceinture, sous leur
vareuse blanche, des couteaux et des pistolets...
Tous, du reste, tous s'étaient ceints, de l'épaule à
la hanche, de ce redoutable fouet des blatiers,
lesquels ont presque toujours deux ou trois chevaux chargés de sacs de blé ou de farine à
conduire ; arme effroyable, au manche durci au
feu, faite de lanières de cuir tressées, avec une
mordante *courgée* de six pouces, dont chaque coup
creusait un sillon, et, à la main, ils avaient le
pied de frêne familier à toute main normande,
le bâton-massue de la Normandie, avec lequel
des hommes de ce poignet et de cette vaillance
auraient pris, Dieu me damne ! des pièces de
canon.

« C'est armés ainsi que nous les vîmes partir. Ils
s'égrenèrent et disparurent isolément dans les

bois, comme s'ils allaient à la pipée. Et ils y
allaient en effet, à une pipée sanglante ! *M. Jacques* partit le dernier. Ses blessures, son amour
pour Aimée, la pensée mystérieuse qui semblait
lui manger le cœur, — car pourquoi être triste
comme il l'était, avec l'amour d'Aimée, avec la
possession certaine de cette merveille d'âme et de
corps qui lui avait juré d'être sa femme à son
retour ? — toutes ces choses avaient-elles énervé
l'énergie, prouvée en tant de rencontres par
M. Jacques ?... Sa belle fiancée alla le conduire à
plus d'une demi-lieue dans les bois, jusqu'à ce
vieil abreuvoir, où une source claire bleuissait sur
un fond d'ardoises et qu'on appelait « la Fon-
taine-aux-Biches », parce qu'entre deux battements de cœur et dans le crochet d'une course
forcée, les biches venaient en aspirer, en frisson-
nant, l'eau frissonnante. Quand Aimée revint
seule à Touffedelys, ah ! elle fut bien de Spens !...
Elle fut bien d'une race où les femmes ne pleu-
rent pas, parce que les hommes sont à la guerre !
Nous ne lui surprîmes pas une larme, mais son
front d'aurore était devenu pâle comme l'écorce
d'un bouleau. J'en eus plus pitié que les autres.
Vous savez, j'étais la chirurgienne-major. Je savais
toucher les blessures. Pour donner de la force à ce
cœur qui saignait et ne se plaignait pas, je lui dis
sans savoir ce que je disais, et comme si j'avais eu
le sort dans ma main, mais ce n'est jamais qu'avec
des mots insensés qu'on peut apaiser les âmes
folles !

« — N'ayez peur, Aimée ! dans quatre jours, ils
seront tous ici pour votre mariage, et Des Touches
sera votre témoin !

« Dieu de ma vie ! à ce mot de *témoin*, de la

pâleur de l'ivoire vert son teint passa comme un
éclair à la pourpre d'un incendie. Son front, sa
joue, son cou, ce qu'on apercevait de ses épaules,
jusqu'à la raie nacrée de ses étincelants cheveux
d'or, tout s'infusa, s'inonda de ce subit vermillon
de flamme ; et c'était à se demander si tout ce
qu'on ne voyait pas de sa personne se colorait
comme ce qu'on voyait, tant cette rougeur semblait partout ! tant elle en était immergée !

« C'était toujours la même question. Pourquoi
rougissait-elle ?... Mort de mon âme ! me dis-je en
moi-même, je ne suis guère qu'un homme manqué, et on le voit à ma figure ; mais homme
manqué ou non, je veux bien que le diable
m'emporte sans confession, si je suis assez femme
pour comprendre cela. »

— Eh ! eh ! dit l'abbé, je suis obligé de t'avertir
que tu n'es plus au temps de tes dragonnades au
clair de lune, et que tu continues à jurer comme
un dragon, mademoiselle ma sœur !

— Influence des temps de guerre civile sur les
époques calmes ! répondit-elle avec une brusquerie comique, en riant dans ses moustaches grises
ébouriffées... Tu es plus sévère que le curé
d'Aleaume, l'abbé ! Est-ce que je ne me suis pas
battue, assez de temps, en l'honneur de Dieu et de
sa sainte Église, pour qu'il ne puisse me passer
très bien de mauvaises habitudes, contractées à
son service, et qu'il ne s'en formalise pas ?...

— Vous me rappelez, mademoiselle, dit alors
M. de Fierdrap, le mot fameux de Louis XIV
après la bataille de Malplaquet : « J'avais, dit-il,
rendu à Dieu assez de services pour avoir le droit
d'espérer qu'il se conduirait mieux avec moi. »

— Et il ne fut jamais, repartit vivement l'ab-

bé, meilleur chrétien que quand il a dit cela,
Louis XIV ! c'est moi qui te le certifie, Fierdrap,
moi, qui suis un ancien docteur de Sorbonne ! La
foi sincère a souvent de ces familiarités avec Dieu,
que des sots prennent pour des irrévérences
ridicules, et des âmes de laquais ou de philoso-
phes pour de l'orgueil. Laissons jaboter ces
gens-là. Mais entre nous autres gentilshommes, à
qui le respect pour le roi n'a jamais ôté, que je
sache, l'aisance avec le roi...

— C'est toi qui interromps maintenant ! fit
M. de Fierdrap, enchanté de rendre sa petite
leçon à l'abbé et de lui *couper* sa théorie ; laisse
donc ta théologie et ta Sorbonne, et vous, mademoiselle, ajouta-t-il avec une déférence flatteuse,
puisque c'est pour moi particulièrement que vous
racontez cette histoire, je vous écoute de mes deux
oreilles, et je regrette de n'en avoir pas quatre à
vous offrir ; daignez continuer !

Elle fut flattée et se panacha, et les ciseaux
ayant un peu *battu aux champs* sur le guéridon de
vieille laque, elle reprit :

— Aimée rentra bientôt dans sa pâleur d'âme
en peine. Elle devait, en effet, plus souffrir que
nous pendant les trois jours qui suivirent le départ
des Douze. Nous ! nous n'avions pour les Douze,
et même pour le chevalier Des Touches, que le
genre d'affection et de sympathie qu'on a, quand
on est femme et jeune, pour de nobles jeunes
hommes dévoués à leur cause, une cause qui
représentait l'honneur, la religion, la royauté,
cette triple fortune de la France, et qui pour elle
s'exposaient journellement à mourir. Nous avions
pour ces Douze l'intérêt véhément qu'on se porte
entre gens de même parti et de même drapeau ;

mais enfin nos cœurs n'étaient pas pris comme celui d'Aimée et le coup de fusil d'un Bleu ne pouvait pas y atteindre à travers un autre cœur ! Nous nous préoccupions sans doute de l'événement qui devait se produire à Avranches, nous en attendions l'issue avec anxiété, moi, surtout, dont le sang a toujours été turbulent dans mes grosses veines, quand il s'est agi de coups à donner et à recevoir !

« Mais ce n'étaient pas là, ce ne pouvaient pas être les transes d'Aimée. Elle ne les disait pas. Elle engloutissait ses tortures dans ce cœur qui a tout englouti ; mais je les devinais à la fièvre de ses mains brûlantes, au feu sec de ses regards. Une fois, pendant ces jours d'alarme où nous vivions dans l'ignorance et l'incertitude sur le destin de nos amis, je fus obligée de lui arracher son feston, car elle coupait avec ses ciseaux dans la chair de ses doigts, croyant couper autour de sa broderie, et le sang coulait sur ses genoux sans qu'elle sentît, dans sa préoccupation hagarde, qu'elle se massacrait ses belles mains ! Je finis par ne plus la quitter. Nous ne nous parlions pas, mais nous restions les mains étreintes à nous regarder fixement dans les yeux. Nous y lisions la même pensée, la question éternelle de l'inquiétude : « A présent que font-ils ? », cette question à laquelle on ne répond jamais, car si on pouvait y répondre, on ne la ferait pas, et ce ne serait plus l'inquiétude ! A quel travail de vrille cet horrible sentiment ne se livre-t-il pas dans nos cœurs ? Pour nous soustraire à ce rongement perpétuel, à ce creusement sur place, qu'on croit diminuer en s'agitant, nous allions ensemble sur la route qui passait au pied du château de Touffedelys, espé-

rant y rencontrer quelque roulier, quelque mar-
chand forain, quelque voyageur quelconque qui
nous donnerait des nouvelles, qui nous parlerait
de cette foire d'Avranches où se jouait un drame
qui, pour nous, pouvait être une tragédie ! Mais
ce mouvement que nous nous donnions était
inutile.

« Ceux qui, des paroisses circonvoisines,
avaient eu affaire à la foire étaient passés et ils
n'en revenaient pas encore ! Les routes étaient
désertes. On ne voyait poindre personne au bout
de leur long ruban blanc solitaire. Nulle âme qui
vive n'apparaissait sur cette ligne droite qui s'en-
fonçait dans le lointain, et ne venait nous dire ce
qui se faisait tout là-bas, derrière l'horizon, du
côté de cette ville dont on n'apercevait rien dans
les fumées de l'éloignement, et d'où nous
croyions quelquefois, à l'intensité de notre attention, à l'effort de nos oreilles pour recueillir la
moindre des ondes sonores qui agitait l'espace,
entendre sonner et bourdonner comme un bruit
vague de cloches lointaines ! Illusion de nos sens
qui nous trompaient à force de se tendre ! Il n'y
avait pas même de cloches en ce temps-là. On les
avait descendues de tous les clochers, et on les
avait fondues en canons pour la République. On
ne sonnait donc pas, ce n'était donc pas le tocsin.
Nous rêvions, les oreilles nous tintaient. Et si la
générale battait, la générale, ce tocsin du tambour ! il nous était impossible d'en démêler les
sons contre le vent, à cette distance, au milieu de
tous ces bruissements d'insectes et de ces mille
fermentations de la terre qui semble susurrer,
sous nos pieds, à certains jours chauds, et nous
étions dans ces jours-là ! Ah ! nous nous dévo-

rions... moi, de curiosité, elle, d'angoisse. Lasses d'écouter à fleur de sol, et de regarder sur cette route abandonnée et muette, allongée platement dans son immobile poussière, nous voulions parfois écouter et voir mieux, écouter de plus haut et voir plus loin, et nous montions alors sur la plate-forme la plus élevée des tourelles, et nous regardions de là, oh ! nous regardions de tous nos yeux ! Mais nous avions beau les allonger et les écarter sur les longs massifs de bois qui s'étendaient indéfiniment du côté d'Avranches, nous ne voyions jamais que des abîmes de feuillage, que des océans de verdure, sur lesquels le regard lassé se perdait... De l'autre côté, entre deux récifs, c'était la mer bleue s'étendant lentement comme une huile lourde sur la grève silencieuse, sans une seule voile qui piquât d'un flocon blanc et animât son azur monotone ! Et ce calme de tout, pendant que nous étions si agitées, redoublait nos agitations, agaçait nos nerfs par cette indifférence des choses, et, par moments, nous jetait dans l'état suraigu qui doit précéder la folie !

« La nuit même, nous restions perchées sur le haut de notre tourelle, cet observatoire d'où l'on ne voyait rien, si ce n'est le ciel, que nous ne regardions seulement pas ! genre de supplice auquel nous revenions, parce qu'à chaque instant, nous nous imaginions qu'il allait cesser. Le soir du deuxième jour de cette foire d'Avranches, qu'on appelait, je crois, la *Saint-Paterne*, et qu'ils ont pu, depuis, appeler la *Flambée*, nous vîmes, en tressaillant, monter à l'horizon une longue flamme rouge, et des tourbillons de fumée épaisse, apportés par le vent, déferlèrent et s'étagèrent sur la cime des bois que la lune tranquille éclairait.

« — Aimée, lui dis-je, c'est le feu ! Nos hommes brûleraient-ils Avranches pour ravoir Des Touches ? Il vaut bien Avranches ! Ce serait beau !

« Nous écoutâmes... et, pour cette fois, nous crûmes entendre, mais nous avions la tête montée, des cris indistincts, et comme une masse de sons confus qui seraient sortis d'une ruche immense ! Mon oreille de Chouanne exercée, car j'avais déjà fait la guerre et je me connaissais à la musique de la poudre, cherchait à distinguer les coups de fusil sur la basse continue de ce grand tumulte éloigné et assourdi par l'éloignement ; mais, tonnerre de Dieu ! je n'étais sûre de rien... Je ne distinguais pas ! Je m'étais penchée sur la plate-forme ! J'avais mis la tête hors de mon capuchon granvillais, que j'avais pris contre le froid de la nuit pour monter si haut, et tête nue, l'oreille au vent, l'œil à la flamme qui se réverbérait en tons d'incarnat dans les nuées, calculant que si c'était Avranches qui brûlait, dans deux heures, pas une minute de plus, le temps juste pour venir à Touffedelys, ils y seraient de retour, vainqueurs ou vaincus, je le dis vivement à Aimée...

« J'avais calculé avec une précision militaire. Juste deux heures après..., nous haletions toujours sur notre plate-forme, et nous voyions s'éteindre le feu lointain, ce feu qui n'était pas l'incendie d'Avranches, car Avranches à brûler aurait demandé plus de temps, voilà que tout à coup nous entendîmes sous nos pieds, au bas de la tourelle, le *hou-hou* mesuré de la chouette, et, magie de l'amour ! Aimée reconnut tout de suite

de quelles paumes de mains était parti ce *hou-hou*,
qui me parut sinistre, à moi, tant il était plaintif !
et qui lui parut joyeux et triomphant à elle, parce
qu'il lui annonçait l'homme qui était devenu sa
vie, et qui lui rapportait la sienne !

« — C'est lui ! s'écria-t-elle, et nous descendîmes de la tourelle avec la rapidité de deux
hirondelles qui plongent d'un toit vers le sol.

« Et en effet, c'était *M. Jacques* ! *M. Jacques*, le
visage noirci, les cheveux brûlés, l'air d'un démon
ou plutôt d'un damné, échappé de l'enfer, car les
démons y restent...

« — Ah ! lui dis-je, incorrigible, toujours prête à
rire, même dans les malheurs ! parti blanc comme
un sac de farine, revenu noir comme un sac de
charbon !

« — Oui, répondit-il en mordant sa lèvre, noir
de deuil ! Le deuil de la défaite ! Le coup a
manqué, mademoiselle... Il faut recommencer
demain.

« Le coup était manqué, et pourtant, reprit la
vieille Chouanne animée de plus en plus et
montrant une verve qui fit prendre à l'abbé son
frère voluptueusement une prise de tabac, pourtant l'affaire n'avait pas été mal menée, comme
vous allez pouvoir en juger, monsieur de Fierdrap...

« ... C'est midi sonnant, au plus fort du
tohu-bohu de la foire, que les Douze entrèrent
dans Avranches. Ils y marchèrent d'abord vers le
champ de foire, éparpillés, nonchalants, flânant,
les bras ballants, guignant les sacs de blé ou de
farine mis à cul sur le sol, déficelés et ouverts,
pour que l'acheteur jugeât la marchandise, jouant
leur rôle de blatiers qui ont le temps d'acheter,

qui ne se pressent pas, qui attendent en vrais Normands que les prix fléchissent ; mais du fond de leurs grands chapeaux rabattus qui leur tombaient sur les épaules, se reconnaissant, se comptant, se coudoyant, et sentant le coude ami qui frémissait contre leur coude. Ils nous dirent plus tard ces détails et ces sensations... Il y avait, et cela leur parut de bon augure, un monde fou à la foire de cette année-là ! La ville encombrée était pleine de gens, d'animaux et de voitures de toute forme et de toute grandeur. Les auberges et les cabarets regorgeaient d'Augerons, de bouviers, de porchers qui amenaient leurs bêtes pour la foire, et dont les troupeaux s'amoncelaient dans les rues, rendant le passage impossible, bouchant la porte des maisons, menaçant les fenêtres des rez-de-chaussée, qu'on avait, dans beaucoup d'endroits, calfeutrées de leurs contrevents, par peur d'enfoncement des vitrages sous la corne de quelque bœuf en courroux ou la croupe reculante de quelque cheval effaré. Un instant retardées par leur accumulation aux angles des rues, au resserrement des venelles et aux tourniquets des carrefours, ces puissantes troupes de bœufs et de chevaux reprenaient bientôt leur marche lente sous les *pieds de frêne* de leurs conducteurs, et s'avançaient serrées si dru les unes contre les autres qu'on eût dit un fleuve qui coulait. Le mouvement de ces masses de bêtes et de gens se faisait surtout dans un sens, dans la direction du champ de foire, qui était la place du marché, à l'un des angles de laquelle s'élevait la prison où était renfermé Des Touches.

« Il semblait que ce fût là une circonstance menaçante pour le dessein des Douze, que cette

foule épaisse qui, ceignant la prison de tous les
côtés, augmentait naturellement la difficulté d'y
pénétrer ou d'en sortir ; mais cela leur parut, au
contraire, un heureux hasard, à ces énergiques
cœurs, tournés à l'espérance ! Avec le génie des
petites troupes résolues, n'avaient-ils pas toujours
compté, pour faire leur coup, sur l'entremêle-
ment du grand nombre, dont il est aisé de faire
un chaos ? D'ailleurs, il y avait cela d'absolument
bon dans cette circonstance de la situation de la
prison sur le champ de foire, que le bataillon de
Bleus qui y avait conduit Des Touches, et qui, tout
à côté, s'y était bâti avec des planches un corps de
garde, avait été obligé de transporter ce corps de
garde à l'autre extrémité de la place et de dégager
un endroit spécialement réservé aux chevaux de
la foire, qu'on rangeait contre la longue muraille
de la prison, dans toute sa longueur, et qu'on
attachait par de gros anneaux en fer, scellés entre
les fortes pierres... D'abord ces Bleus avaient fait
des façons, vous vous en doutez bien, quand on
leur avait signifié d'aller planter ailleurs leur
corps de garde. Ils n'avaient qu'une idée, eux,
c'est que Des Touches pouvait s'échapper ! Mais
les tranquilles Normands qui, dans toute autre
circonstance, pourraient s'en laisser imposer par
répugnance pour le *dérangement*, conséquence de
toute lutte, ne s'en laissent plus conter et ne
craignent plus leur peine quand le moindre intérêt est en jeu, et sur-le-champ, voilà qu'ils
redeviennent les âpres contendants connus, les
chicaneurs terribles dont le cri de guerre sera
jusqu'à leur dernier soupir : *Gaignaige !* L'écurie
en plein vent rapportait de l'argent à la ville. Puis
c'était là une coutume autant qu'un péage. Cou-

tume et péage, toute la Normandie tient dans ces deux mots ! Les Bleus virent qu'ils ne seraient pas les plus forts... Ils avaient dégagé la prison.

« Cette prison, monsieur de Fierdrap, nos douze blatiers eurent tout le temps de la regarder et de l'étudier en gens de guerre, de la place du Marché qu'elle dominait, et qui était alors couverte de tentes, rangées en file comme les maisons des rues, entre lesquelles s'agitait et écumait le flot de la population foraine, aux rayons d'un soleil cuisant, qui était aussi un avantage, car il faisait bouillir ce tas de cerveaux, excités déjà par le débat des prix et le cidre en bouteilles, qui allument si bien les têtes normandes, ces têtes que, ce jour-là précisément, il fallait faire sauter comme des poudrières, si on voulait enlever Des Touches ! Là étaient, en effet, tout le secret et le moyen de l'enlèvement. Jeter, n'importe comment, toute cette multitude, les uns contre les autres, à travers les tentes renversées et les animaux fous d'épouvante ! Et, pendant cette immense ruée qui pouvait prendre les proportions d'une bataille d'aveugles et devenir une tuerie, se glisser à trois ou quatre dans la prison, y délivrer le chevalier et se replier vivement sur les bois ; tel était le plan, simple et hardi, convenu à Touffedelys, mais que l'aspect de la prison pouvait cependant modifier. »

— Hure de saumon ! je le crois bien ! fit en s'exclamant le baron de Fierdrap ; je la connais, votre prison, mademoiselle. J'ai eu longtemps à Avranches un vieux compagnon de l'armée de Condé, qui s'appelait le chevalier de la Champagne, lequel, revenu au pigeonnier comme moi, et n'ayant plus de poudre à brûler, s'était mis à aimer les vieilles pierres, comme, moi, je me suis fourré à aimer le poisson. Eh bien, c'est à lui que je dois ma connaissance de la prison d'Avranches, car il m'a assez trimbalé, le damné maniaque d'antiquaire qu'il était ! par les escaliers en colimaçon de cette forteresse, pour que je me la rappelle parfaitement, et que les jambes me chantent encore une chansonnette en pensant à la hauteur de ses deux tours qui résisteraient, Dieu me pardonne ! à du canon.

— Oui, reprit mademoiselle de Percy, ces deux tours étaient formidables. Reliées ensemble par d'anciens bâtiments, faisant poterne, elles étaient flanquées de constructions, d'une date plus récente, qui, certes, n'auraient pas résisté à une attaque vigoureusement poussée, mais avec les tours ! les massives tours qui les épaulaient... bernicle ! En les examinant, les Douze comprirent qu'on ne pouvait pénétrer là-dedans que par stratagème... Il fallait ruser ! Ce fut Vinel-Royal-Aunis qui fut chargé de la geôlière, car (encore un bonheur, à ce qu'il semblait, pour les Douze) il n'y avait pas de geôlier. Seulement, monsieur de Fierdrap, à la guerre, le hasard est souvent un traître. Vous verrez tout à l'heure que la geôlière de la prison d'Avranches pouvait faire tête d'homme et même plus ! On la nommait la Hocson. C'était une femme de quarante-cinq à cinquante ans, sur qui avaient couru dans le temps des bruits dont on n'était pas sûr, mais épouvantables. On avait dit, entre le haut et le bas, qu'elle avait été poissarde au faubourg du Bourg-l'Abbé, à Caen, et qu'elle avait goûté au cœur de M. de Belzunce, quand les autres poissardes du Bourg-l'Abbé et de Vaucelles avaient, après l'émeute où il fut massacré, arraché le cœur à ce jeune officier et l'avaient dévoré tout chaud... Etait-ce vrai, cela ? On en doutait, mais il paraît que la figure de la Hocson ne démentait pas ces bruits affreux. Son mari, jacobin violent, était mort dans l'exercice de ses fonctions de geôlier à Avranches, et elle lui avait succédé. Louve sinistre, devenue chienne de garde de la République, ce fut à Vinel-Aunis qu'il échut de l'apprivoiser... Cela ne devait pas être facile. Mais Vinel-Aunis était Vinel-Aunis ! Son surnom parmi nous était *Doute de rien !* et il le portait comme un panache ! Il passait pour ce que l'on appelle un *loustic* de régiment, mais il était, par-dessus le marché, un beau garçon bien découplé, d'une tournure d'officier superbe, et qui, pour l'instant, faisait un blatier très faraud aux larges épaules, comptant sur trois choses qu'il estimait irrésistibles, même séparées : primo, par Dieu ! ses avantages physiques ! secundo, une langue à laquelle il faisait tout dire et comme de ma vie je n'en ai revu une pareille à personne ; et tertio, une bonne poignée d'assignats ! C'était un gaillard toujours prêt à tout. Il n'avait qu'un mot : A la guerre, disait-il, comme à la guerre ! Probablement le morceau qu'on lui jetait ne le ragoûtait pas, mais il sauta lestement par-dessus ses répugnances. Il eut l'aplomb de se présenter à cette geôlière d'Avranches, dont la physionomie était aussi atroce que la renommée, avec la fleur de fatuité qu'en France les blatiers peuvent avoir comme les officiers, et ce génie impayable de la plaisanterie, qu'il avait développé dans Royal-Aunis. Et malgré l'horreur très légitime que devait lui inspirer une créature qui pouvait encore avoir aux lèvres du sang de

Belzunce, il débuta par s'élancer sur elle et par l'embrasser, paf ! paf ! paf ! sur les joues, à la manière normande, par trois fois !

« — Et bonjour, ma cousine ! lui dit-il à cette femme étonnée, figée d'étonnement et qui se laissa faire de stupéfaction ! Comment vous portez-vous, ma chère et honorable cousine ?... Vous me remettez donc pas ?... Je suis votre cousin Trépied de Carquebu, qui n'a pas voulu venir à votre foire d'Avranches, sans vous souhaiter bien des prospérités et vous embrasser !

« Il avait dit *Trépied*, cet improvisateur au pied levé, parce qu'elle avait un trépied devant elle, sur lequel elle récurait, avec une poignée de paille, un chaudron !

« — En fait de trépied, je ne connais que *cha*, fit-elle avec colère en lui montrant celui de son chaudron, et vous mériteriez bien que je vous l'envoyasse par la figure pour vous punir de vos insolentes *josteries*, méchant attrapeur !

« Mais Vinel-Aunis n'était pas homme à avoir peur d'un trépied manœuvré par la main d'une vieille femme, et il prouva qu'il avait raison de croire à sa langue, comme il disait, car il soutint, mais *mordicus*, à la Hocson qu'elle avait des parents de ce nom de Trépied à Carquebu et qu'il était bel et bien de ces Trépieds-là. Puis, il enfila une longue histoire sur ces Trépieds de Carquebu, lesquels lui avaient si souvent parlé de leur cousine d'Avranches, avant son départ, à lui, pour l'armée, lors de la première Réquisition, que depuis qu'il avait pu revenir à Carquebu reprendre le fouet de blatier qu'avait toute sa vie fait claquer son père, il s'était promis de profiter de la première foire à Avranches pour venir saluer sa

cousine et faire connaissance et amitié avec elle.
Et, par ma foi ! il en dit tant, il eut l'air si sûr de ce
qu'il disait, il fut si précis dans toutes les circonstances, il versa enfin à la Hocson, restée le bec
cloué et aplati devant ce torrent de paroles, une
telle douche de phrases sur la tête, qu'en écoutant
son cousin Trépied, elle oublia l'autre, qu'elle
laissa tranquille sous son chaudron, et qu'elle
tomba assise sur un banc, persuadée, domptée,
confondue ! Elle était si complètement hébétée
qu'elle finit même par inviter ce cousin, qui lui
tombait de Carquebu, à boire une chopine et à
manger du *cornuet* à la foire, et Vinel-Royal-Aunis
s'attabla. Il se crut maître de la place. Il crut qu'il
tenait son Des Touches ! Mais... il se trompait.

« Il continuait cependant d'aller de cette langue
infatigable. Il but une chopine, puis un pot, puis
un autre pot, et voyant que la Hocson buvait
comme lui, aussi ferme que lui, devenant plus
sombre seulement à mesure qu'elle buvait, mais
restant froide sous ces libations sans vertu, il
voulut faire à sa cousine, l'aimable blatier, la
politesse de l'eau-de-vie, et il en envoya chercher
au cabaret voisin par une petite fille que la
Hocson appelait « la petiote à son fils ». Mais cette
femme, cette Hocson, nous dit-il plus tard, à
Touffedelys, était plus difficile à mettre à feu que
la prison d'Avranches, qui y était trois heures
après. C'est que cette femme, monsieur de Fierdrap, avait dans le cœur ce qui empêche l'ivresse,
l'ivresse qui, dit-on (ceux qui boivent !), est un
oubli, une illusion, une autre vie dans la vie. Elle
avait un souvenir dans le cœur plus fort que
l'ivresse, qui glaçait l'ivresse et que l'ivresse ne
noyait pas. Et ce n'était pas, non ! le souvenir du

sang de Belzunce, si réellement, comme on le
disait, elle y avait goûté, mais un souvenir à tuer
celui-là, à l'empêcher de penser même à ce crime,
et si elle l'avait commis, d'en effacer le remords.
C'était enfin, dans le fond de son cœur, une plaie
si large que toute la mer changée en eau-de-vie
pour la faire boire à cette femme, dont l'âme
entière n'était plus qu'un trou de blessure, y
aurait passé comme dans un crible, sans rien
engourdir et sans rien fermer ! »

La pléthorique mademoiselle de Percy, que son
histoire oppressait, s'arrêta une minute pour
reprendre haleine ; mais l'abbé et le baron, pris
par l'histoire, restèrent silencieux. Ils ne plaisantaient plus.

— Et si je vous parle ainsi de cette femme,
monsieur de Fierdrap, reprit mademoiselle de
Percy, si je m'arrête un instant sur cette créature
qui était peut-être une scélérate, mais qui ce
jour-là eut aussi, comme les Douze, sa grandeur,
c'est que cette femme fut la cause unique du
malheur des Douze dans cette première expédition. Sans elle, et sans elle *seule*, notez bien ce
mot-là, pas le moindre doute que les Douze, qui
mirent si effroyablement Avranches sens dessus
dessous, dans ce jour dont on se souviendra
longtemps, n'eussent repris le chevalier Des
Touches ! Pour moi, je le pense, ils auraient
réussi. Mais elle leur opposa une volonté aussi
forte que ces murailles de la prison qui étaient des
blocs de granit. Vinel-Aunis avait essayé de l'enivrer, il essaya de la corrompre. Il s'y prit avec elle
comme on s'y prend avec tous les geôliers de la
terre depuis qu'il y a des geôliers ; mais il trouva
une âme imprenable parce qu'elle était gardée

par la haine, et la plus implacable et la plus indestructible des haines, celle qui est faite avec de l'amour. La Hocson avait eu son fils tué par les Chouans ; non pas tué au combat, mais après le combat, comme on tue souvent dans les guerres civiles, en ajoutant à la mort des recherches de cruauté qui sont des vengeances ou des représailles. Tombé dans une embuscade, après une chaude affaire, où les Bleus avaient couché par terre beaucoup de Chouans, car ils avaient avec eux une pièce de canon, ce jeune homme avait été enterré vivant, lui vingt-quatrième, jusqu'à cet endroit du cou qu'on appelait dans ce temps-là la place du collier de la guillotine. Quand ils virent ces vingt-quatre têtes, sortant du sol, emmanchées de leurs cous, et se dressant comme des quilles vivantes, les Chouans eurent l'idée horrible de faire une partie de ces quilles-là avant de quitter le champ de bataille et de les abattre à coups de boulet ! Lancé par leurs mains frénétiques, le boulet, à chaque heurt contre ces visages qui criaient quartier, les fracassait en détail..., et se rougissait de leur sang pour revenir les en tacher encore. C'est ainsi que le fils Hocson avait péri. Sa mère, qui avait su cette mort atroce, avait à peine pleuré ;... mais elle nourrissait pour les Chouans une haine contre laquelle tout devait se briser,... et Vinel-Aunis s'y brisa.

« — Ah ! lui dit-elle, tu m'as donc gouaillée ! Tu n'es qu'un Chouan, et tu viens pour le prisonnier. Oh ! je n'ai pas peur que tu me tues — il avait pris un pistolet sous sa vareuse — il y a longtemps que je désire la mort. Petiote ! cria-t-elle, va vite au corps de garde me chercher les Bleus !

« — Je l'aurais bien tuée, nous dit Vinel-Aunis,

mais je ne savais pas même dans laquelle des tours était Des Touches. Cela aurait fait du bruit. J'aurais perdu du temps.

« Et il jeta un escabeau, qui se trouvait là, dans les jambes de la petite pour l'empêcher de sortir, en la faisant tomber.

« Mais le temps de son mouvement avait suffi à la Hocson pour s'échapper par un couloir noir comme de l'encre, où Vinel-Aunis se perdit pendant qu'il l'entendait grimper quatre à quatre l'escalier d'une des tours, ouvrir la porte de la prison et s'y enfermer à la clef avec le prisonnier. »

— Diable ! fit M. de Fierdrap.

— Peste ! dit l'abbé.

— Or, pendant que tout ceci se passait à la prison, continua la vieille amazone, qui ne prit pas garde aux deux exclamations, l'aiguille du cadran qui surmontait la façade de la maison commune, sise au fond de la place du Marché, arrivait au chiffre de l'heure marquée par les Douze pour agir. Incapables, quoi qu'il advînt, d'hésiter une minute, quand une résolution était prise :

« — C'est à nous de commencer la danse ! dit gaiement Juste Le Breton à La Varesnerie.

« Et ils entrèrent tous deux sous une des tentes de la foire où il y avait le plus de monde et où l'on buvait. Ils y entrèrent nonchalamment, mais ils avaient leurs bâtons gaufrés à la main. Autour d'eux on n'avait nulle défiance. Le monde qui était là resta, les uns assis, les autres debout, quand Juste Le Breton, s'approchant de la grande table de ceux qui buvaient, coucha délicatement son bâton sur une rangée de verres pleins jusqu'aux bords, et dit de sa voix, qu'il avait très claire :

« — Personne ne boira ici que nous n'ayons bu.

« Tout le monde se retourna à cette voix mordante, et les deux blatiers devinrent le point de mire de mille regards, où l'étonnement annonçait une colère qui n'était pas loin.

« — Es-tu fou, blatier ? dit un paysan. Ote-moi ton bâton de *delà* ! et garde-le pour défendre tes oreilles.

« Et prenant par le bout le bâton que Juste avait couché sur la rangée des verres, mais qu'il tenait toujours par la poignée, il l'écarta.

« C'était là l'insulte que Juste cherchait. Il ne dit mot, il resta tranquille comme Baptiste ; mais il releva subitement son bâton à bras tendu par-dessus sa tête, et de cette main qu'il avait aussi adroite que vigoureuse, il l'abattit sur toute cette ligne de verres pleins, en file, qu'il cassa d'un seul coup, et dont les morceaux volèrent de tous les côtés dans la tente. Ce fut le signal du branle-bas. Tout le monde fut debout, criant, menaçant, mêlé déjà, les pieds dans le cidre qui coulait, en attendant le sang. Les femmes poussaient ces cris aigus qui enivrent de colère les hommes et leur prennent sur les nerfs comme des fifres... Elles voulaient fuir et ne pouvaient, dans cette masse impossible à percer, et qui se ruait sur les deux blatiers pour les étouffer.

« — Vous avez eu l'honneur du premier coup d'archet, monsieur ? dit à Juste Le Breton M. de La Varesnerie, avec cette élégante politesse qui ne le quitta jamais, mais si nous voulons exécuter tout le morceau, il faut que nous tâchions de sortir de cette tente, où nous n'avons pas assez d'espace pour faire seulement, avec nos bâtons, un moulinet.

« Et de leurs épaules, de leurs têtes et de leurs poitrines, ils essayèrent de trouer cette foule, compacte à crever les toiles de la tente, où ce qui venait de se passer faisait accourir du monde encore. Mais cette marée d'hommes montant toujours, ils poussèrent alors, pour qu'on vînt les dégager du dehors, le cri que leurs amis, autour de la tente, attendaient comme un commandement :

« — A nous les blatiers !

« Ce dut être un curieux spectacle ! Les blatiers répondirent à ce cri par le claquement de leurs fouets terribles, et ils se mirent à sabrer cette foule avec ces fouets qui coupaient les figures tout aussi bien que des damas ! Ce fut une vraie charge, et ce fut aussi une bataille. Tous les *pieds de frêne* furent en l'air sur une surface immense. La foire s'interrompit, et jamais, dans nulle batterie de sarrasin, les fléaux ne tombèrent sur le grain comme, ce jour-là, les bâtons sur les têtes. Dans ce temps-là, la politique était à fleur de peau de tout. Le moindre coup faisait jaillir du sang dont on reconnaissait la couleur, à la première goutte. Le cri : « Ce sont les Chouans ! » partit de vingt côtés à la fois. A ce cri, la générale battit. Cette générale, que nous n'avions pas entendue du haut de la tourelle de Touffedelys, couvrit Avranches et le souleva. Le bataillon des Bleus voulut passer à la baïonnette à travers cette masse qui roulait dans le champ de foire, comme une mer, mais impossible ! Il aurait fallu percer un passage dans cette foule d'hommes, d'enfants et de femmes qui s'agitaient là, et qui, à eux seuls, de leur pression et de leur poids, pouvaient écraser cette poignée de Chouans. Les Douze, ou plutôt les Onze, car Vinel-Royal-Aunis était à la prison, les Onze qui semblaient un tourbillon qui tourne au centre de cette mer humaine dont ils recevaient la houle au visage, les Onze, ramassés sous leurs fouets et sous le moulinet de leurs bâtons, avaient bien calculé. Ils abattaient autour d'eux ceux qui les poussaient et qui leur rendaient coup pour coup...

« Partout ailleurs, ce n'était dans ce champ de foire qu'un désordre sans nom, un étouffement, l'ondulation immense d'une foule, au sein de laquelle, affolé par les cris, par le son du tambour, par l'odeur du combat qui commençait à s'élever de cette plaine de colère, quelque cheval cabré montrait les fers de ses pieds par-dessus les têtes, et où, çà et là, des troupes de bœufs épeurés se tassaient, en beuglant, jusqu'à monter les uns sur les autres, l'échine vibrante, la croupe levée, la queue roide, comme si la mouche piquait. Mais à l'endroit où les Onze tapaient, cela n'ondulait plus. Cela se creusait. Le sang jaillissait et faisait fumée comme fait l'eau sous la roue du moulin ! Là on ne marchait plus que sur des corps tombés, comme sur de l'herbe, et la sensation de piler ces corps sous leurs pieds leur donna, à tous les Onze, la même pensée car tout en tapant, ils se mirent, tous les Onze, à chanter gaiement la vieille ronde normande.

> Pilons, pilons, pilons l'herbe ;
> L'herbe pilée reviendra !

« Mais elle n'est pas revenue ! A Avranches, on vous montrera, si vous voulez, à cette heure

encore, la place où ces rudes chanteurs combatti-
rent. L'herbe n'a jamais repoussé à cette place. Le
sang qui, là, trempa la terre était sans doute assez
brûlant pour la dessécher.

« Ils y tinrent à peu près deux heures... mais
Cantilly avait le bras cassé, La Varesnerie la tête
ouverte, Beaumont, les clavicules rompues, presque tous les autres blessés, plus ou moins, mais
tous debout encore dans leurs vareuses, qui
n'étaient plus blanches comme le matin, et qu'une
rosée de sang poudrait maintenant, à la place de
fleur de farine. Tout à coup M. *Jacques* tomba, au
cri de joie de ces paysans électrisés qui crurent
enfin avoir abattu un de ces blatiers du diable,
solides comme des piliers, que l'on pouvait battre
comme plâtre, mais qu'on ne pouvait renverser.
M. *Jacques* n'était pas même blessé. Tout en
combattant, il avait vu à la hauteur du soleil qui
commençait à baisser et à prendre la place en
écharpe qu'il était l'heure d'aller à Des Touches et
de rejoindre Vinel-Aunis... Aussi, avec la sou-
plesse du chat sauvage, se glissa-t-il, en rampant à
travers les jambes de ces hommes qui ne faisaient
guère attention, dans ce moment-là, qu'au jeu
terrible de leurs mains, et, comme un plongeur
qui disparaît à un endroit de l'eau pour ailleurs
reparaître, il se retrouva assez loin de l'espace où
l'on se battait, et dans une tourbe, à cet endroit-là,
moins ardente qu'épouvantée. Comment passa-
t-il ? Il avait jeté son grand chapeau, à *couverture
à cuve*, qui l'aurait gêné ; mais comment ne fut-
il pas reconnu à sa vareuse sanglante, tué, mis en
pièces ? Lui-même n'a jamais su le dire. Il ne le
savait pas, et cela doit paraître incroyable. Mais
vous avez fait la guerre, baron, et à la guerre, ce

qui est incroyable arrive tous les jours. Fascination de la terreur ! Quand il se releva dans cette foule qu'il avait traversée en s'aplatissant, on se mit à fuir devant cet homme qui lui-même semblait fuir, et dans le pêle-mêle de la place, il put parvenir à la prison où Vinel-Royal-Aunis avait dû préparer la délivrance de Des Touches ; mais à la prison, au pied de la prison, il trouva... les Bleus.

« Oui, c'étaient les Bleus !

« Voyant qu'ils ne pouvaient ni s'avancer ni manœuvrer dans ce champ de foire, plein à regorger, et où d'ailleurs les paysans de l'Avranchin les remplaçaient et ne faisaient pas mal leur besogne, les Bleus, au premier cri : « Ce sont les Chouans ! » s'étaient portés au pas de charge sur la prison, car officiers et soldats maintenant ne doutaient plus que la bataille qui se donnait au fond de la place n'appuyât une tentative sur Des Touches. Or, à la prison, si vous n'en avez pas oublié la construction, monsieur de Fierdrap, les Bleus avaient trouvé la lourde porte de l'espèce de bâtiment moderne qu'occupait la Hocson très fortement barricadée, et comme la petite fille à qui Vinel-Aunis avait jeté l'escabeau dans les jambes pour la faire tomber, à moitié évanouie de peur, ne soufflait mot sous la bouche du pistolet de Vinel, et que tout paraissait à l'intérieur silencieux et tranquille, ils crurent naturellement que la Hocson, dont ils connaissaient l'énergie, avait pris ses précautions de défense au premier bruit de tumulte populaire et de chouannerie ; et sûrs qu'elle tenait son prisonnier, ils se réservèrent pour le cas d'attaque ou de sortie, si quelques Chouans avaient été assez hardis pour se glisser

dans la prison, qui devait être pour eux une
souricière ; et ils se déployèrent parallèlement à
cette longue muraille où les chevaux, amenés
pour être vendus à la foire, étaient rangés et atta-
chés aux anneaux de fer dont je vous ai déjà parlé.
Ils furent seulement obligés de se déployer assez
loin de ces chevaux qui répondaient à la tempête
de cris et de mugissements de la place par des
hennissements de colère et des ruades furieuses,
et ils s'étaient établis prudemment hors de la
portée de cette effrayante ligne de pieds ferrés,
toujours en l'air comme des projectiles, et qui leur
auraient cassé les reins. *M. Jacques* avait vu tout
cela. C'était un homme, après tout, que ce
mélancolique ! Le jour baissait. Il attendit, caché
par la multitude, qu'il fût tombé un peu d'ombre... Les fouets claquaient toujours au fond de la
place. Il prit son temps, et il eut le sang-froid et
l'audace de faire, sous le ventre de ces chevaux
frémissants et devenus presque sauvages, ce qu'il
avait fait sous les pieds des hommes dans la foule.
Il se coula entre la muraille et les Bleus. Il ne
pouvait pas douter, lui, que Vinel-Aunis ne fût
dans la prison... La porte barricadée le lui prouvait. C'était Vinel-Aunis qui, à tout événement,
l'avait barricadée... Aux approches de la nuit, la
multitude, qui s'étouffait, sans voir, sur le champ
de foire, comprit enfin qu'il fallait s'écouler par
les rues ; mais son courant y rencontrait un
contrecoup contre lequel elle se heurtait, et partout c'étaient des congestions et des rebondisse-
ments de foule nouvelle. On entendait, dans la
nuit, la générale battant sur tous les points
d'Avranches, entrecoupée du cri bref : Aux armes ! La garde nationale, la gendarmerie, avaient

voulu, comme les Bleus, pénétrer jusqu'à l'endroit où l'on s'égorgeait, mais, comme les Bleus, elles avaient trouvé l'invincible résistance de ce monde aggloméré, pressé et trop épais pour qu'on pût s'y faire un passage... à moins de tout massacrer. Cette circonstance que les Douze avaient prévue et calculée, et qui les avait protégés jusque-là contre la baïonnette et la fusillade, allait cependant se retourner contre eux. Pris dans ces cercles redoublés d'une foule qu'ils échancraient à coups de fouet et de bâton, qu'ils élargissaient, mais qu'ils ne brisaient pas comme on brise un cuvier dont on abattrait les douvelles, ils ne pouvaient ni faire retraite ni s'*égailler*. Et c'était là l'anxiété de *M. Jacques.* Tapi à terre sous la poterne, il grimpa dans les vieux lierres qui couvraient les murs de la prison jusqu'à un trou grillé par lequel il envoya, en le modulant bassement, son cri de chouette pour avertir Vinel-Aunis qui l'entendit, et doucement débarricada la porte.

« — Et Des Touches ? lui fit *M. Jacques.*

« Mais Vinel-Royal-Aunis donna à *M. Jacques* le froid de la défaite, en lui racontant comment la geôlière lui avait échappé et comment elle avait eu la hardiesse de s'enfermer sous clef, tête à tête, avec le prisonnier dans la tour.   .

« — Des Touches, sans ses fers, la romprait sur son genou comme une baguette, ajouta Royal-Aunis, mais il est enchaîné... On n'entend rien à travers cette sacrée porte, et la Hocson est, par Dieu ! bien femme à le tuer, à coups de couteau.

« — Nous le saurons demain ! dit *M. Jacques*, avec la rapidité de décision de l'homme de guerre qu'il avait, ce beau ténébreux, malgré sa langueur. Mais ce soir, il faut sauver ceux qui se battent là-bas... Il faut les dégager et faire retourner la tête à cette foule, et il n'y a qu'un moyen... Mettons le feu à la prison ! »

— Bravo ! dit M. de Fierdrap avec l'enthousiasme du connaisseur ; militairement le moyen était bon, mais ventre de carpe ! ça ne devait pas être chose facile que de mettre le feu à la prison d'Avranches, une geôle de granit humide, à peu près inflammable comme le fond d'un puits.

— Aussi ce qui brûla, baron, reprit mademoiselle de Percy, fut le grand bâtiment de date plus moderne qui reliait les tours, et dans lequel habitait la geôlière. Il y avait dans le haut de ce bâtiment un immense grenier à foin pour la gendarmerie de la ville, et c'est là que *M. Jacques* et Vinel-Aunis mirent intrépidement le feu, avec deux coups de pistolet. En un clin d'œil, par le temps sec et chaud qu'il faisait, la flamme s'élança de cet amas de foin, et sortant avec une brusquerie convulsive du toit dont elle fit voler en éclats les ardoises, tant elle était intense ! elle embrasa instantanément les épais tapis de lierre séculaire qui enveloppaient les tours, et elle les couvrit d'une robe de feu. Ces deux tours devinrent tout à coup deux monstrueux flambeaux-colosses qui éclairèrent la place, de l'un à l'autre bout, et firent, comme l'avait dit *M. Jacques*, retourner les mille têtes de la foule. A cette lueur soudaine, un frisson de terreur immense passa électriquement sur ces mille têtes comme un sillon de foudre, malgré la colère du combat, car il ne s'agissait plus d'une poignée de Chouans à réduire, mais d'Avranches, d'Avranches qui pouvait brûler tout entier ! La prison, en effet, touchait aux premières maisons de la vieille ville, qui n'étaient pas de granit, elles, et qui auraient pris comme de l'amadou. Des fentes, comme il s'en entrouvre dans des murs qui vont crouler, se firent subitement en ce gros d'hommes amoncelés, et, chose horrible, les bœufs qui étaient tassés et avaient jusque-là été contenus par la densité de la foule sur la place, les bœufs enragés par cette violence écarlate de l'incendie qui leur donnait dans les yeux, se mirent à fuir par ces fentes qu'ils agrandirent, écrasant des pieds et des cornes tout ce qui leur était obstacle. Ce fut là une autre tuerie, pire que celle des Onze, qui continuaient imperturbablement leur massacre à l'extrémité du champ de foire, et que cette intervention inattendue de l'incendie allait sauver, car ils n'en pouvaient plus... Leurs fouets claquaient toujours, mais le claquement de ces fouets était moins sonore. Il devenait de plus en plus mat, à chaque coup frappé dans cet amas de chairs sanglantes, qui faisaient boue autour d'eux et qu'ils envoyaient à la figure de leurs ennemis en éclaboussures.

« — Sabre-tout, fit Saint-Germain à Campion, en l'appelant par son nom de guerre, assez sabré pour aujourd'hui !

« Et, gai comme pinson, il ajouta :

« — Nous étions frits sans l'incendie, mais voilà qui va nous dégager. Dans cinq minutes, ils y seront tous.

« — Faisons-nous dos à dos, messieurs, dit La Varesnerie, et sortons de cette place. Une fois dans les rues, nous chouannerons. Les rues d'Avranches vont valoir des buissons, cette nuit.

« Et ils exécutèrent leur manœuvre de dos à dos, couverts de ces fouets et de ces bâtons qu'ils

maniaient en maîtres. Et, marchant au pas, ils
s'avancèrent à travers cette foule qui se dépaissis-
sait, distraite par le feu, culbutée et broyée par les
bœufs qui couraient çà et là comme une tempête
fauve, et c'est ainsi qu'ils purent enfin quitter,
sans avoir perdu un seul homme, cette place où,
depuis trois heures, ils avaient du sang jusqu'au
jarret, et où, comme nous le dit Le Planquais,
quelques jours plus tard, « ils avaient battu le
beurre, à pleine baratte, comme on sait le battre
dans le Cotentin » ! »

— Sais-tu bien que c'est aussi beau que Fonte-
noy, cela, Fierdrap ?... fit l'abbé profondément
pensif, pendant que sa bouillante sœur, dont la
tête devait fumer sous son baril violet et orange,
respirait.

— C'est même plus beau ! dit le baron. Leur
petit carré n'a pas été enfoncé, à eux, à ces Onze !
Et ce sont eux, au contraire, qui ont enfoncé le
grand carré des paysans, qui les tenaient de tête,
de queue et des deux flancs, et qui l'ont enfoncé
avec de simples fouets pour toutes pièces de
canon. Le diable m'emporte ! c'est plus beau !

L'héroïne de la chouannerie s'associait tellement à ses compagnons d'armes, même pour les
batailles où elle n'était pas, qu'elle sourit aimablement au vieux uhlan pour le remercier de son
opinion, et elle reprit :

— Une fois dans les rues, ils essuyèrent bien
quelques coups de fusil épars... Mais la lune
n'était pas encore levée, et, d'ailleurs, elle l'aurait
été que la fumée rougeâtre de l'incendie qui se
mit à couvrir la ville comme d'un dais sombre en
eût intercepté la lumière. Il faisait noir dans ces
rues étroites, qui n'avaient pas alors de réverbères

comme aujourd'hui... Ils sentirent bien siffler quelques balles qui rebondissaient contre les angles des pignons, mais ce fut tout, et ils purent, sans nouveau combat, sortir des faubourgs de la ville, alors tout entière à l'incendie, et se rallier, comme d'avance ils en étaient convenus, sous l'arche en ruine d'un vieux pont qui n'avait plus que cette arche, et qu'on appelait le *Pont-au-Prêtre* (peut-être à cause de la couleur de ses pierres qui étaient noires). Il coulait sous cette arche solitaire un filet de rivière, profondément encaissée, et ce fut là qu'ils se comptèrent... Or, comme ils ne savaient rien du sort de Des Touches et qu'ils avaient sur le cœur le poids affreux de l'absence des amis qui manquent à l'appel, ils résolurent de rentrer à Avranches, et ils y rentrèrent. Ils laissèrent sous l'arche du *Pont-au-Prêtre* leurs vareuses sanglantes qui les auraient trahis, et comme des ouvriers des faubourgs de la ville qui auraient couru au feu en toute hâte et en manches de chemise, ils y allèrent ainsi et sans leurs grands chapeaux, la tête ceinte de leurs mouchoirs qu'ils avaient mouillés dans cette rivière, où ceux qui étaient blessés parmi eux lavèrent leurs blessures... Cantilly seul resta à attendre ses compagnons, couché sur le monceau de vareuses sanglantes, car son bras cassé le faisait cruellement souffrir... Mais il ne les attendit pas longtemps. Ils revinrent vite. En entrant sur la place où la foule avait roulé sa masse en sens inverse et travaillait encore à éteindre l'incendie, ils avaient vu que tout était perdu et fini... La Hocson qui, par la fenêtre grillée de la prison léchée par les flammes, n'avait pas cessé de repaître ses yeux de ce qui se passait sur la place, venait d'ouvrir aux Bleus la porte de ce cachot où elle s'était renfermée avec son prisonnier.

« — Tenez ! leur avait-elle dit, en le leur montrant garrotté de chaînes et couché par terre sur la dalle, le voilà, le brigand ! Je les ai bien entendus *fourgonner* dans la porte pour la mettre à feu ; mais ils auraient fait un four à chaux de cette geôle que je m'y serais laissée cuire avec lui, vivante, plutôt que de le rendre à un autre qu'au valet du bourreau à qui il appartient ! »

« *M. Jacques* et Vinel-Royal-Aunis s'étaient, en effet, obstinés à vouloir brûler cette porte épaisse, résistante à l'action du feu comme à l'action du levier. Ils s'y obstinaient encore, quand la foule, devenue maîtresse de l'incendie, s'élança dans le couloir et les escaliers de la prison. Alors ils s'étaient jetés, tête baissée, en avant, la torche et le pistolet à la main, et, grâce à la flamme, à la fumée et au désordre de l'invasion dans la prison de ces Bleus qui couraient, comme des fous, au cachot de Des Touches, ils avaient passé !

« C'est au moment où il sortait de là que nous avions revu *M. Jacques*. L'idée d'Aimée sans doute le fit revenir plus vite à Touffedelys que ses autres compagnons, mais douze heures après, à l'exception de Vinel-Aunis, ils y étaient tous. *M. Jacques* ignorait le sort de Vinel-Aunis. Nous crûmes qu'il était mort. Il ne l'était pas. Il avait reçu dans le ventre un coup furieux de la baïonnette d'un Bleu, et il avait eu l'énergie de faire plus d'un quart de lieue dans les bois, contenant avec sa main ses entrailles près de s'échapper, et, dans cet état, de gagner la cahute d'un sabotier chouan... Ces détails que nous avons eus plus tard, nous les ignorions. Nous pensions qu'il avait

laissé sa vie dans cette affaire, et cela nous
paraissait une chose si simple que bientôt nous
n'en parlâmes plus ; mais il n'en était pas de
même de Des Touches. Qu'était devenu Des
Touches ?... *Pour recommencer demain,* comme
l'avait dit *M. Jacques,* il fallait avoir des nouvelles
de Des Touches. Il n'en venait aucune à Touffedelys. Une femme inspire moins de défiance
qu'un homme. Je proposai à ces messieurs d'aller
à Avranches en chercher.

« Ils acceptèrent, et j'y allai, monsieur de Fierdrap. Je n'étais pas novice, je vous l'ai dit ; j'avais
bien des fois porté des dépêches aux chefs des
différentes paroisses, sous toutes sortes de déguisements. Pour me mêler mieux aux gens de la
ville et pour détourner tout soupçon, je me
déguisai en femme du peuple. Je passai un
déshabillé de droguet. Je posai sur mes cheveux,
qui, depuis la guerre, ne connaissaient plus
qu'une espèce de poudre, — celle avec laquelle on
frise l'ennemi ! — cette coiffe des Granvillaises,
qui ressemble à une serviette pliée en quatre
qu'on se plaquerait sur la tête. On mit des hottes
sur une de nos juments poulinières, et un *panneau*
couvert de peau de veau avec son poil ; et, assise
de côté là-dessus, un de mes pieds en sabots dans
une de mes hottes, l'autre pendant sur le cou de
ma jument, je m'en allai vers Avranches d'un bon
trot d'*allure.* J'avais pour les vendre au marché,
mes hottes pleines de beaux pains de beurre,
enveloppés dans des feuilles de vigne. Vous
parliez de mon caleçon de velours rayé, il n'y a
qu'un moment, mon frère, et de mes grandes
bottes *à la Frédéric,* ajouta-t-elle avec la seule
coquetterie qui lui fût possible, la coquetterie

d'avoir porté de pareilles bottes ; mais ce jour-là votre sœur, mon frère, la cousine des Northumberland, était tout simplement une beurrière des faubourgs de Granville. Oui, voilà ce qu'était, pour le quart d'heure, Barbe-Pétronille de Percy-Percy ! »

— Barbe, sans barbe ! dit l'abbé, qui se prit à rire, mais digne de la porter.

— Elle m'est venue depuis, dit-elle en riant aussi, mais trop tard, depuis que je n'en ai que faire et que j'ai repris, pour ne plus les quitter, ces ennuyeux jupons, qui me vont à peu près comme à un grenadier. Je n'avais alors qu'un petit bout de moustache brune qui, avec ma figure à la diable, me donnait l'air assez dur sous ma serviette pliée en quatre et justifiait le mot d'un drôle d'Avranches, qui faisait les beaux bras au marché et qui se permit de mettre ses deux mains autour de ma grosse taille. Je lui avais allongé sur les doigts le meilleur coup du manche de mon couteau à beurre.

« — Ne fais pas tant ta mijaurée ! m'avait-il dit furieux ; il n'y a pas de quoi. Après tout, tu n'es pas si fraîche que ton beurre, la grosse mère.

« — Mais je suis plus salée ! lui répondis-je le poing sur la hanche, comme une vraie harengère de Bréhat, et si tu veux y goûter, polisson, tu vas le savoir !

« C'est à cela seul que se bornèrent tous les dangers que courut, à Avranches, l'honneur de votre sœur, mon frère. J'y fis ce qu'on appelle un bon marché. Tout en vendant mes pelotes de beurre, j'arrondis ma pelote de nouvelles. Je ramassai tous les bruits, tous les commérages de la ville. Elle n'était pas remise de la chaude alarme que nos Douze lui avaient donnée. On ne parlait partout que des faux blatiers et du feu mis à la prison. On disait, en les exagérant peut-être, le nombre des personnes qui avaient péri dans cette batterie. On montrait encore, sur le champ de foire, des mares de sang... Mais, au moins, criaient les trembleurs, nous sommes délivrés du Des Touches ! Cet appât ne devait plus faire revenir les Chouans. La nuit du lendemain de ce jour terrible, dont les événements avaient si profondément bouleversé Avranches, on avait fait quitter secrètement la ville au prisonnier. On l'avait jeté avec ses fers dans une petite charrette recouverte de planches, et, tout le bataillon des Bleus l'escortant, il était parti, sans tambour ni trompette, pour Coutances, où il devait être jugé, et certainement condamné à mort.

« Je revins grand train à Touffedelys apprendre à nos amis ce changement de prison de Des Touches, qui le plaçait plus loin de notre portée et dans des conditions de captivité plus dures à surmonter que les premières, car à la guerre, toute tentative, avortée une fois, devient plus difficile de cela seul qu'elle a avorté : l'ennemi est prévenu, il veille davantage. *M. Jacques* avait dit la pensée de tous ses compagnons, en disant qu'il fallait recommencer l'entreprise.

« — Messieurs, ajouta-t-il, prenez aujourd'hui pour panser vos blessures. Nous tâcherons de les rendre à l'ennemi demain. Il faut que dans deux jours nous soyons sous Coutances, pour rejouer la partie que nous avons perdue. Coutances est une ville plus forte qu'Avranches, et nous sommes, nous, moins forts que nous n'étions... Nous ne sommes plus que onze...

« — Vous êtes toujours douze, monsieur, lui dis-je. Onze est un mauvais compte. Il nous porterait malheur. Puisque M. Vinel-Aunis n'est pas revenu, je m'offre pour le remplacer. Dame ! je n'ai jamais été la plus belle fille du monde, mais la plus belle ne donne encore que ce qu'elle a !

« Et c'est ainsi, baron, que je fis partie de la seconde expédition des Douze, et que je vis, de mes deux yeux, qui ne reverront jamais pareilles choses, ce qui me reste à vous conter. »

CHAPITRE VI

UNE HALTE ENTRE LES DEUX EXPÉDITIONS

Mademoiselle de Percy s'arrêta un instant encore. Le Bacchus d'or moulu sonna de son timbre flûté et argentin. Il s'en allait, dérivant vers minuit, l'heure, dit-on, des spectres... Et n'étaient-ce pas des spectres, en effet, que ces gens du passé, rassemblés dans ce petit salon à l'air antique, et qui parlaient entre eux de leur jeunesse évanouie et des nobles choses qu'ils avaient vues mourir ?... Ursule et Sainte de Touffedelys pouvaient bien, elles surtout, faire l'effet de deux spectres ; pauvres fantômes doux ! Pâles et séchées sous leurs cheveux pâles, elles tenaient toujours dans leurs doigts amincis ces écrans transparents dont la gaze verte, tamisant la lueur du feu qui s'éteignait, jetait à leurs visages exsangues un reflet de lune de cimetière... Le baron de Fierdrap, l'abbé et sa sœur, d'une couleur plus chaude, d'yeux plus brillants, semblaient plus vivants, plus passionnés, mais, au fond, n'agitaient-ils pas des souvenirs aussi vains que ces fantômes de nuit qui se dissipent à l'aube ?... Et Aimée elle-même, la plus jeune d'entre eux, dont la beauté disait éloquemment qu'elle était moins avancée dans la vie, Aimée, penchée sur son feston, auquel elle ne pensait pas, Aimée la solitaire et la silentiaire par la surdité, dont l'âme cherchait une autre âme dans la mort, n'était-elle pas encore, d'eux tous, la plus morte et la plus du pays des rêves ?...

— Ce fut un grand jour à Touffedelys, reprit mademoiselle de Percy, que le jour qui précéda notre départ pour Coutances, et, pour moi, je vivrais cent ans que je me rappellerais le plus léger détail de cette espèce de veillée d'armes ! On commença, bien entendu, par panser les blessés, les blessés qui plaisantaient et riaient de leurs blessures, la meilleure manière de s'en parer ! Le plus blessé de tous, et pour cette raison celui qui de tous, plaisantait et piaffait davantage, était M. de Cantilly, à qui, par parenthèse, vous donnâtes si joliment votre mouchoir à la *Marie-Antoinette*, ma chère Sainte ! Vous le rappelez-vous ? Oui, n'est-ce pas ? Il n'eut qu'à vous dire galamment : « Si vous voulez que mon bras ne me fasse plus souffrir, mademoiselle, donnez-moi votre mouchoir de cou pour en faire une écharpe. Mon autre bras n'en ira que mieux » ; et vous, sans vous faire prier davantage, vous l'ôtâtes de votre cou, mon innocente, et vous le lui donnâtes, tiède de vos épaules. Après les blessés, on s'occupa des armes. Ces armes, que nous avions cachées, et en réserve, dans ce château, tombé, à ce qu'il semblait, en quenouille, furent mises en état de bien faire. Une vingtaine de belles mains, parmi lesquelles il y avait les deux belles qui festonnent là-bas, sous cette lampe, monsieur de Fierdrap, se noircirent à faire des cartouches pour nos hommes. Nous étions à peu près, à ce moment-là, une quinzaine de femmes à Touffedelys. Quoique les Douze n'eussent pas réussi dans leur entreprise sur Des Touches, nous avions (l'inquiétude sur leur sort une fois passée et l'événement connu) repris cette gaieté qui nous revenait toujours après les catastrophes, et qui est peut-être l'obstination de l'espérance ! Toutes nous avions foi en nos héros. « Ils n'ont pas réussi hier, eh bien, ils réussiront demain ! » disions-nous, et chacune de vous autres, qui étiez plus femmes que moi, mesdemoiselles, retrouvait les rires et les légers propros de la jeunesse, au milieu de nos guerrières occupations.

« Aimée elle-même, toujours sérieuse comme une reine, mais qui avait vu revenir de la première expédition son fiancé sans une seule blessure, s'épanouit, malgré sa réserve, dans un sentiment qui était plus que de l'amour, qui était de la fierté heureuse ! Oui, le seul jour où j'aie vu Aimée, cette magnifique rose fermée et toute sa vie restée en bouton, nous montrer un peu de l'intérieur de son calice, fut ce jour qui précéda notre départie pour Coutances et le malheur qui allait la frapper !

« Nul pressentiment ne l'avertit de ce qui devait sitôt suivre..., et quand M. *Jacques*, triste ce jour-là plus que les autres jours, parmi ses compagnons joyeux, nous dit, à lui, son pressentiment, c'est-à-dire qu'il mourrait dans cette seconde expédition... »

— Oui, interrompit mademoiselle Ursule de Touffedelys, c'est à moi qu'il le dit et à Phœbé de Thiboutot, qui étions ses voisines de table, au souper après lequel vous deviez partir dans la nuit. On était au dessert. Tous ces messieurs, très animés, parlaient du lendemain comme d'un

jour de fête. On avait bu à la santé du Roi et à
l'enlèvement du chevalier Des Touches. Lui seul,
M. Jacques, restait sombre, son verre plein. Phœbé
de Thiboutot, qui n'était que depuis peu à
Touffedelys, et qui, d'ailleurs, était légèrement
follette, lui dit, comme une enfant qu'elle était :
« Pourquoi êtes-vous si triste, vous ? Vous ne
croyez donc pas au succès de l'enlèvement du
chevalier ?... » Et il lui répondit en regardant
Aimée, comme si cela expliquait tout : « Pardon,
mademoiselle ; je crois très fort à l'enlèvement de
Des Touches, mais *je suis sûr* que j'y mourrai. » —
« Alors pourquoi y allez-vous ? » lui dis-je. Car
après tout ce qu'il avait fait et qu'on racontait de
lui, dans le Maine, il n'y avait pas à douter de sa
grande bravoure. Mais je me sentis coupée par le
ton qu'il prit, et je me souviendrai toujours de
l'expression de sa figure, quand il me répondit :
« Mademoiselle, c'est une raison de plus ! »

— Eh bien, reprit mademoiselle de Percy, ce
pressentiment de *M. Jacques*, qui fut un avertissement de sa destinée, ce pressentiment dont j'aurais haussé les épaules alors, et auquel j'ai bien
pensé sérieusement depuis, Aimée ne le partagea
pas, et elle crut, sans doute, qu'elle pourrait le lui
ôter du cœur en réalisant, comme elle fit ce
soir-là, l'idée qui devait le plus enivrer un homme
épris comme il l'était, et lui faire oublier toutes les
chances de l'avenir dans la minute présente, qui
lui apportait un tel bonheur ! A partir du jour où
elle nous avait appris, avec la simplicité d'un
amour si résolu et si dévoué dans une âme aussi
pudique que l'était la sienne, que sa foi était
engagée à *M. Jacques*, tout avait été dit et compris
entre elle et nous... Elle, elle était trop imposante

dans sa réserve, et nous, nous étions trop confiants dans la noblesse de son âme pour lui adresser jamais la moindre question sur M. *Jacques*. Quoi qu'il fût, il avait l'honneur d'être le fiancé d'Aimée de Spens, et cela suffisait... Mais ce jour-là, Aimée voulut qu'il fût davantage. Elle voulut qu'il fût son mari aux yeux de tous et que le mariage, impossible dans ce temps où il n'y avait plus de chapelle à Touffedelys pour le faire, et à dix lieues à la ronde de prêtre pour le célébrer, s'accomplît au moins par la promesse et par le serment, devant ces dix hommes, ses frères d'armes, avec qui, peut-être, le lendemain il allait mourir.

— Eh ! elle commence à m'intéresser, votre demoiselle Aimée ! fit candidement le baron de Fierdrap.

— C'est bien heureux ! dit plaisamment l'abbé. Préfères-tu encore ton dauphin, qui n'en était pas un, ô pêcheur plein de sagacité ?...

— Ah ! elle vous intéresse ? dit impétueusement mademoiselle de Percy, qui tira son histoire des parenthèses de l'interruption, comme elle tirait son aiguille à laine de sa tapisserie ; je ne m'en étonne pas, monsieur de Fierdrap ! Nous n'avons vu agir qu'une fois cette Aimée, et c'était ce soir-là, mais je vous jure que ce soir-là elle ne descendit pas sa race... Cette soirée paya toute sa vie. Toute sa vie depuis a été le malheur, le veuvage, la surdité, un bout de feston derrière lequel on cache sa rêverie et la pauvreté d'une violette au pied d'un tombeau ; mais, ce soir-là, où elle voulut se fiancer publiquement à M. *Jacques*, comme elle s'y était déjà fiancée en secret, elle nous donna, en une fois, la mesure de ce qu'elle aurait pu être si, comme à tant d'autres, le cadre des circonstances ne lui avait pas manqué et n'eût pas été plus petit qu'elle !

« Ce qu'elle avait voulu eut lieu comme elle l'avait voulu et donna un caractère d'exaltation nouvelle à cette journée d'enthousiasme et de joie virile. Aimée n'avait dit à personne le projet qui devait donner à l'homme dont elle était aimée un bonheur à essuyer toutes ses tristesses et à lui mettre au front les rayonnements des cœurs heureux. Avait-elle entendu ce que M. *Jacques* vous avait répondu, Ursule, ou même avait-elle besoin de l'entendre pour savoir ce qu'il y avait dans ce cœur triste où elle vivait ?... mais toujours est-il qu'elle se leva de table, peu d'instants après, et que sa meilleure amie, Jeanne de Montevreux, la suivit. On n'y prit pas garde ; on parlait de l'expédition du lendemain et de ce départ attendu, souhaité, qui aurait lieu dans quelques heures..., lorsqu'au bout d'un certain temps qu'on ne calcula pas, elle rentra avec Jeanne de Montevreux dans la salle de Touffedelys. En rentrant dès le seuil, elle nous fit l'effet d'une apparition. Ce n'était plus la même femme. Elle était tout en blanc et en voile... Et, par la manière dont elle marcha vers la table où nous étions, nous sentîmes, et moi toute la première, baron, que quelque chose de grand allait se passer.

« — Messieurs, dit-elle d'une voix altérée, pleine d'émotion, mais de résolution aussi, vous allez partir tout à l'heure. Quand reviendrez-vous et combien reviendrez-vous ?... Dieu seul le sait. Un de vous, de douze que vous étiez, n'est pas revenu d'Avranches. Il peut en manquer un... peut-être plusieurs, à votre prochain retour. Eh bien, j'ai voulu, pendant que vous êtes tous ici encore, vous prier d'être les témoins de mon mariage avec *M. Jacques...* Acceptez-vous ?

« Elle dit si bien cela, cette Aimée ! elle fut si bien la comtesse Aimée-Isabelle de Spens, en disant ces simples paroles, que, sous le dais féodal de sa maison, elle n'aurait pas été plus comtesse..., et que tous, romanesques comme des héros, se levèrent spontanément et l'acclamèrent, quoique plusieurs d'entre eux fussent devenus pâles, car je vous l'ai déjà dit, monsieur de Fierdrap, tous l'aimaient... avec un espoir fou ou sans espoir... mais tous l'aimaient ; et je crois vous l'avoir dit encore, sa cousine madame de Portelance m'a assuré qu'ils avaient tous demandé sa main.

« Quand elle avait fini de parler, j'avais regardé *M. Jacques.* Vous savez ! il ne me plaisait pas. Mais, dans ce moment-là, j'en fus contente ; sa physionomie était indescriptible. Dieu m'est témoin que si elle lui avait mis une couronne de roi sur la tête, il n'aurait pas eu l'air plus fier !...

« Surpris, plus surpris qu'eux, il s'était levé avec les autres, et il alla, en chancelant, à elle...

« — Voici ma main qui est à vous ! lui dit-elle en la lui tendant.

« Peut-être serait-il tombé de joie et d'orgueil à ses pieds, mais il se retint à cette main.

« — Soyez témoins, messieurs, dit-elle, encore plus touchante et plus majestueuse à chaque mot, que moi, Aimée-Isabelle de Spens, comtesse de Spens, marquise de Lathallan, ici présente, je prends aujourd'hui pour époux et pour maître *M. Jacques*, actuellement soldat au service de Sa Majesté notre Roi. Forcée par la nécessité de ces tristes temps, qui n'ont plus ni églises, ni prêtres, d'attendre des jours meilleurs pour ratifier et consacrer l'engagement solennel que je contracte aujourd'hui, j'ai voulu au moins devant vous, qui êtes chrétiens et gentilshommes, — et des chrétiens, en temps d'épreuve, sont presque des prêtres, — jurer, en pleine liberté d'âme, obéissance et fidélité à M. *Jacques* et lui engager ma foi et ma vie.

« Ils se tenaient tous deux, l'un à côté de l'autre, elle splendide, et lui comme éclairé de sa splendeur.

« — Et, dit-elle avec la tristesse du regret, il n'y a pas seulement une croix sur laquelle je puisse prononcer mon serment !

« — Si, madame ! reprit fougueusement Beaumont, qui eut une idée de soldat.

« — Croise ton épée avec la mienne, dit-il à La Varesnerie, qui était en face de lui.

« Et ils les croisèrent. Et cela fit une croix.

« Et devant ces deux lames nues entrecroisées, qui pouvaient être rouges dans quelques heures, Aimée de Spens et M. *Jacques* se jurèrent l'un à l'autre ce qu'ils se seraient juré devant un autel, si à Touffedelys il y avait eu un autel encore. Et tout cela fut si rapide et si sublime dans sa rapidité, monsieur de Fierdrap, qu'après trente ans, ce moment-là m'est resté flamboyant dans la pensée, comme l'éclair de ces deux épées qui leur tomba sur le front, à ces deux fiancés d'avant la bataille, défiancés par la mort, le lendemain !

« — Voilà de belles noces ! fit La Bochonnière, qui était le plus jeune des Douze. Mais on danse aux noces. Si nous dansions ?

« Cette idée tomba comme une étincelle sur la poudre dans ces esprits qui flambaient à toute étincelle. En un clin d'œil, la table fut enlevée et chacun d'eux sur place, tenant sur le poing sa danseuse. S'il y avait là des cœurs brisés, les jambes ne l'étaient pas, et ils dansèrent... comme ils s'étaient battus à la foire d'Avranches, et ils cassèrent des bras encore, mais ce furent les deux miens... »

— Comment ? fit le baron de Fierdrap, qui, de ce coup, ne comprit pas, et dont le nez devint le plus beau point d'exclamation qui ait jamais dessiné son crochet sous la giroflée d'une engelure.

— Oui, baron, reprit-elle, car c'est moi qui les fis danser comme des perdus jusqu'à trois heures du matin, sans reprendre haleine. C'est moi qui fus le ménétrier de cette noce. Quoique je ne fusse pas alors, grâce à la guerre, aussi ventripotente qu'aujourd'hui, je n'avais pas cependant, dès ce temps-là, une taille de danseuse, et je n'étais guère bonne qu'à faire, dans un coin de bal, un ménétrier. Je jouais assez bien du violon, comme beaucoup de femmes de ma jeunesse ; car vous vous rappelez, baron, que les femmes du siècle passé eurent un jour la fantaisie de jouer du violon, et qu'elles inventèrent même une manière d'en jouer qu'elles appelaient *jouer par-dessus viole*, et qui consistait à tenir son instrument sur le genou, maintenu par la main gauche qui arrondissait le bras, pendant que la droite menait magistralement l'archet, dans une pose de sainte Cécile. C'était même assez gracieux, cela, quand on était jolie ; mais vous vous doutiez bien que ce n'était pas ainsi que je jouais. J'aurais fait, moi, une drôle de sainte Cécile. Je n'étais pas si fière de montrer mon gros bras, qu'on voyait déjà bien assez, et je n'avais pas de menton à gâter. Je tenais donc mon violon et j'en jouais comme j'ai fait tant de choses... comme un homme. Et c'est ainsi que j'en jouai à cette noce d'Aimée, qui a été mon dernier coup d'archet dans ce monde. Je ne touche plus maintenant à cet alto qui allait si bien à ma figure de polichinelle, disiez-vous, mon frère, et je me suis punie, en l'accrochant à mon lambris, d'avoir, à cette noce d'Aimée, si follement accompagné les derniers moments de son bonheur et sonné si joyeusement une agonie.

— Tu es une bonne fille après tout, Percy, que le bon Dieu a mise dans le fond d'un vaillant homme, dit l'abbé, que sa sœur touchait, malgré lui... Elle n'avait plus sa fanfare de voix. Les ciseaux ne battaient plus *aux champs*.

— Et, en effet, reprit-elle, c'était une agonie. Mais qui donc, excepté M. *Jacques,* qui peut-être n'y pensait plus, aurait eu l'idée de la mort sous la joie de ce singulier bal de noces, animé par l'enthousiasme des cœurs et les grandioses illusions du courage ?... Aimée, selon l'usage, l'avait ouvert en dansant la première contredanse avec celui dont elle venait de faire son époux. Elle avait désiré qu'on ne l'appelât cette nuit-là que *Madame Jacques*, et nous ne lui donnâmes pas d'autre nom. Elle y resta éblouissante dans cette robe de mariée, dont elle a fait plus tard un suaire, pour l'homme heureux qu'elle tenait alors par la main. Vers trois heures du matin, il fallut songer au départ et à l'expédition projetée... Je changeai tout à coup l'air de la contredanse que je jouais :

« — Voici la diane qui sonne, messieurs ! leur

dis-je en attaquant brusquement un air militaire
et royaliste que nous avons souvent chanté.

« En trois secondes, chacun fut prêt. J'allai
prendre les vêtements de Chouan sous lesquels
j'avais fait, en divers temps, plus d'une expédition
nocturne. Le seul plan que nous eussions alors
était de marcher réunis jusqu'au grand jour pour
nous disperser et nous rejoindre près de Coutances, dans la campagne, à une place que La
Varesnerie, qui connaissait bien le pays, nous
indiqua, chez des paysans sûrs, Chouans même à
l'occasion, et où nous pourrions cacher nos armes.
Deux ou trois au plus d'entre nous devaient se
risquer dans la ville et prendre des renseigne-
ments sur le prisonnier et sur la prison.

« C'était à la tombée de la nuit que nous avions
résolu de nous armer et d'entrer dans Coutances,
car, avec une ville aussi calme, où la moindre
chose était toujours sur le point de faire événement, et qui de plus avait pour se garder une forte
garnison d'infanterie, ce n'était vraiment que
pendant la nuit et par surprise qu'on pouvait
enlever Des Touches. »

CHAPITRE VII

LA SECONDE EXPÉDITION

— Rien de particulier, monsieur de Fierdrap, ne marqua l'espèce de marche forcée que nous fîmes de Touffedelys à Coutances, continua la vieille chroniqueuse, qui avait repris son aplomb, un instant troublé, à présent et à mesure qu'elle entrait dans le récit d'un fait de guerre auquel elle avait pris part, et qui lui faisait dire *nous* avec un bonheur qui touchait presque à la sensualité. Dans ces temps-là, les routes étaient plus mauvaises qu'aujourd'hui, et, pour cette raison, bien moins fréquentées. D'ailleurs, ce n'était pas la route départementale, qu'on appelait la grande route, que nous avions prise. La grande route voyait deux fois par jour la diligence, escortée de gendarmes à cheval, car les Chouans avaient une idée qui motivait cette bandoulière de gendarmes : c'est que la guerre paye partout la guerre, et que l'argent du gouvernement, qu'ils voulaient mettre par terre, leur appartenait. Malgré ce principe, ce jour-là nous avions évité soigneusement cette diligence et ses gendarmes protecteurs, et nous avions pris la *traverse*, qu'en notre qualité de Chouans nous connaissions très bien pour l'avoir longtemps pratiquée... Nous arrivâmes

donc d'assez bonne heure chez les paysans de La
Varesnerie, et bien nous prit de n'avoir rencontré
sur notre route personne de contrariant et d'avoir
eu la jambe assez leste, malgré la danse d'où nous
sortions, puisque, à notre arrivée, ces paysans, qui
demeuraient à un quart de lieue des faubourgs de
la ville, nous apprirent que Des Touches avait été
condamné la veille au soir par le tribunal révolutionnaire de Coutances, et qu'il devait être *rac-
courci* le lendemain. Il paraît, du reste, qu'il s'était
conduit avec le tribunal révolutionnaire de manière à exaspérer davantage un fanatisme de
haine politique qui n'avait pourtant pas besoin
d'être exaspéré. Du caractère incompressible qui
était le sien et qu'il ne démentit jamais, il avait
dédaigné de répondre aux questions des juges, et
il était resté ferme et rebelle à toutes les interroga-
tions et même à toutes les supplications de ceux-là
qui semblaient prendre intérêt à son destin, leur
opposant un silence qu'il ne rompit point, même
par un cri ou par un soupir, et une impassibilité
de sauvage... De pareilles nouvelles, confirmées
d'ailleurs par les deux ou trois d'entre nous qui
étaient entrés dans Coutances, et qui avaient vu la
guillotine déjà dressée et prête sur la place des
exécutions, nous mettaient dans la nécessité d'agir
comme la foudre et de ne plus compter que sur
l'énergie *seule*, l'énergie, en ligne droite et courte,
qui n'avait plus le temps de se replier dans la ruse
(comme on l'avait fait à Avranches), et qui devait
tout simplifier, comme le coup droit dans le
maniement de l'épée, par la rapidité de son
action.

« — Il n'y a pas deux partis à prendre, nous dit
M. *Jacques*, et c'était à tous notre avis. Il faut cette

nuit, à l'heure où la ville commence d'être endormie, tenter d'ensemble une brusque entrée
dans la prison et y prendre ou y délivrer Des
Touches par la force. Ce sera rude, messieurs ! La
prison est située au centre de trois cours spacieu-
ses qui s'enveloppent les unes les autres. Dans la
première et la plus extérieure de ces cours est une
sentinelle qui, en tirant son coup de fusil, fera
sortir tout le corps de garde placé dans la rue à
côté, lequel, en faisant décharge sur nous, fera
venir à son tour toute la garnison de la ville. Si les
bourgeois s'en mêlent, ils peuvent nous jeter par
leurs fenêtres les premières choses venues qui
leur tomberont sous la main, ou par leurs portes
entrebâillées nous fusiller au détour de ces rues
dont nous ne connaissons pas le réseau.

« — Bourreau !   s'écria Desfontaines,   dont
c'était le juron, quel programme ! » Il trouvait
Vinel-Aunis charmant et il l'imitait. Il en était le
clair de lune. « Nous dansions hier soir, camara-
des, ajouta-t-il, nous pourrions bien *la* danser
cette nuit. »

« — Vous faites le plan de l'ennemi, monsieur,
dit La Varesnerie à *M. Jacques*, mais le nôtre,
monsieur, quel est-il ?

« — Le nôtre, répondit *M. Jacques*, est celui des
boulets, des obus et des balles, qui entrent partout
et brisent tout, quand ils ne sont pas aplatis.

« — Eh bien, dit Juste Le Breton, dont le surnom était *le Téméraire*, soyons donc des projectiles,
et entrons !

« J'ai toujours dans les oreilles, continua mademoiselle de Percy, la voix claire de Juste Le
Breton, quand il dit ce mot d'*entrons !* qui fut
réalisé quelques heures après, car nous entrâmes

et même nous sortîmes, ce qui était plus fort. Je
n'ai jamais entendu de plus joyeux son de trompette. Juste Le Breton était vraiment heureux de
ce que venait de dire *M. Jacques*. Nous autres, les
dix autres, nous n'en souffrions pas ; nous n'en
tremblions pas, mais Juste, il en était heureux !
C'était un contempteur absolu de toute prudence
que ce Juste Le Breton. L'idée qu'il n'y avait plus,
dans cette question de l'enlèvement de Des
Touches, que de la force, et qu'en fait de stratagème et de précautions humaines, nous étions au
bout du fossé, et qu'il n'y avait plus qu'à sauter,
cette idée, formidable aux plus braves, le ravissait.
J'ai vu bien des gens braves dans ma vie, je n'en ai
pas vu exactement de ce genre de bravoure-là !
M. Jacques, qui avait le génie du général, sous
l'officier intrépide, Des Touches lui-même, cet
homme inouï parmi les énergiques, qui n'a
peut-être jamais senti en toute sa vie un seul
battement de cœur dans sa poitrine de marbre,
admettaient, en une foule de circonstances, la
prudence humaine ; mais Juste Le Breton, jamais ! Ils l'appelaient le Téméraire, ils auraient
tout aussi bien pu l'appeler « Rien d'impossible ! »
Voulez-vous en juger ? Un jour, ici, sur la place
du Château, il était entré à cheval chez un de ses
amis qui logeait *Hôtel de la Poste*, et ayant monté
ainsi les quatre étages, il avait forcé à sauter par la
fenêtre son cheval, qui, en tombant, se brisa trois
jambes et s'ouvrit le poitrail, mais sur lequel il
resta vissé, les éperons enfoncés jusqu'à la botte,
n'ayant pas, pour son compte, une égratignure !

— Deux secondes de sensation d'hippogriffe,
dit l'abbé ; mais l'hippogriffe avait des ailes, ce
qui fait le Roger de l'Arioste d'un mérite moins

grand que ton héros, mademoiselle ma sœur.

— Une autre fois, reprit-elle, toute palpitante
du succès de celui que son frère venait d'appeler
son héros, s'ennuyant chez un de ses amis un jour
de pluie (je crois que c'était chez ce coq batailleur
de Fermanville), il lui dit : « Si nous nous battions
pour passer le temps ? » car, à cette époque-là, on
était ainsi à Valognes, on y tuait le temps à coups
d'épée ; et Fermanville n'ayant pas d'autre objection à faire à cette proposition, qu'il n'y avait là
qu'un seul sabre : « Prends la lame et laisse-moi le
fourreau », dit Juste ; et comme l'autre, qui avait
du cœur, ne voulait pas de ce partage, Juste Le
Breton le força bien à se servir de la lame, car il se
jeta sur lui et l'écharpa avec le fourreau.

— Je ne ferai plus de réflexions, Percy, dit
l'abbé éternellement taquin, parce que tu me
donnerais encore une anecdote sur ton favori
Juste, et Fierdrap, qui tortille son manchon
d'impatience, attendrait son histoire trop longtemps.

— J'ai fini, dit-elle, mais ce n'était pas une
digression, mon frère. Il fallait bien, dans l'intérêt
même de mon histoire, que je vous fisse comprendre ce Juste Le Breton, qui aimait le danger,
non pas comme on aime sa maîtresse, car on la
trouve toujours assez jolie...

— Et assez dangereuse, fit cette fine langue
d'abbé.

— Tandis que lui, continua-t-elle, ne trouvait
jamais le danger assez grand, comme il le prouva,
du reste, une fois de plus ce jour-là, dans cette
affaire de Des Touches, où il l'augmenta par une
imprudence qui fut la cause de la mort de *M. Jac-*
ques, et qui pouvait nous faire, dans les murs

de Coutances, massacrer tous jusqu'au dernier !

Elle dit cela ardemment, comme elle disait tout, cette vieille lionne, mais au ton qu'elle avait, on voyait bien qu'elle ne gardait pas grande rancune à son sublime cerveau brûlé de Juste Le Breton !

— C'est entre onze heures et minuit, reprit-elle, que nous quittâmes la ferme des Mauger, ces paysans de La Varesnerie qui nous avaient donné asile. Nous la quittâmes pour n'y pas revenir. Si nous réussissions, nous ne pouvions ramener Des Touches dans un endroit si près de la ville ; si nous ne pouvions pas réussir, nul des Douze ne devait revenir ni là ni ailleurs. Nous avions, chacun, une bonne carabine très courte, avec de la poudre et des balles en suffisance, et à la ceinture un couteau à éventrer les sangliers. Seul, Cantilly, à cause de son bras en écharpe, dans votre mouchoir, Sainte, avait des pistolets au lieu de carabine. Il marchait, lui, le pistolet à la main. Lorsque nous sortîmes de la ferme des Mauger, un traître de clair de lune fit dire à notre *loustic* en second de Desfontaines :

« — Phœbé pour Phœbé, j'aimerais mieux pour cette nuit mademoiselle Phœbé de Thiboutot que celle-là !

« Cette lune de mauvais augure pouvait, en effet, nous jouer plus d'un méchant tour. Mais, en nous approchant de la ville, nous fûmes un peu rassurés par un petit brouillard qui commença à s'élever du sol, comme la fumée d'un feu de tourbière dans un champ. Nous eûmes l'espoir que ce brouillard s'épaissirait assez du moins pour qu'on ne pût rien distinguer de bien net dans ces rues de Coutances, plus étroites que celles d'Avranches, par conséquent plus plongées

dans l'ombre tombant des maisons. Nous entrâmes dans la ville à minuit moins un quart, qui
tinta à la cathédrale, et que répétèrent pour les
échos seuls les autres horloges de cette ville, qui
dormait comme une assemblée de justes, quoique
ce fût une ville de coquins révolutionnaires. Les
rues étaient muettes ; pas un chat n'y passait. Que
fût-il arrivé de nous tous, de Des Touches, de
notre projet, si nous avions rencontré seulement
une patrouille ? Nous savions bien ce qui, dans ce
cas, serait arrivé ; mais nous n'avions la liberté
d'aucun choix ; il fallait aller, s'exposer à tout,
jouer son va-tout enfin, ou, pas de milieu, demain
Des Touches serait guillotiné ! Heureusement,
nous n'aperçûmes pas l'ombre d'une patrouille
dans cette ville, morte de sommeil. Des réverbères
très rares, et à de grandes distances les uns des
autres, tremblaient au vent à l'angle des rues.
Suspendus à de longues perches noires, transver-
salement coupées par une solive, et figurant un T
inachevé, ils avaient assez l'air de potences. Tout
cela était morne, mais peu effrayant. Nous enfi-
lâmes une rue, puis une autre. Toujours même
silence et même solitude. La lune, qui se brouil-
lait de plus en plus, se regardait encore un peu
dans les vitres des fenêtres, derrière lesquelles on
ne voyait pas même la lueur d'une veilleuse
expirante. Nous assoupissions le bruit de nos pas,
en marchant.

« Le moment était pour nous si solennel,
monsieur de Fierdrap, que j'ai gardé les moin-
dres impressions de cette nocturne entrée dans
Coutances et le long de ces rues où nous avan-
cions comme sur une trappe dont on se défie et
qui peut s'ouvrir tout à coup et vous avaler, et que

je me rappelle parfaitement une vieille femme en cornette de nuit et en serre-tête, le seul être vivant de cette ville ensevelie tout entière dans ses maisons comme dans des tombes, laquelle, à la fenêtre d'un haut étage, vidait, au clair de la lune, une cuvette avec précaution et mystère, et mettait à cela une telle lenteur que les gouttes du liquide qu'elle versait auraient eu le temps de se cristalliser avant de tomber sur le sol, s'il avait fait un peu plus froid. Elle en accompagnait la chute de l'avertissement charitable : « *Gare l'eau ! gare l'eau !* » prononcé d'une voix tremblotante, qu'elle veloutait pour n'éveiller personne, et qui disait à quel point elle était consciencieuse dans ce qu'elle faisait, et même timorée. A chaque goutte qui tombait ou qui ne tombait pas, elle répétait du même ton dolent son *gare l'eau !* monotone... Nous nous rangeâmes contre le mur d'en face, craignant qu'elle ne nous aperçût... Mais, trop occupée pour cela, elle continua d'épancher sa source éternelle, en disant toujours son *gare l'eau !*

« — Dans mon pays, dit à voix basse, La Bochonnière, les moulins à eau s'appellent des *Ecoute-s'il-pleut* ; mais, du diable ! en voilà un comme je n'en avais jamais vu.

« — Cela l'étonnerait un peu si d'une balle on lui cassait sa cuvette au rez de la main, fit Cantilly, très fort au pistolet, qui jetait en l'air une paire de gants et la perçait d'une balle avant qu'elle ne fût retombée.

« Nous rîmes et nous passâmes, oubliant la bonne femme, en tournant le coin de la rue et en nous trouvant nez à nez avec la guillotine, droite et menaçante devant nous, attendant son homme... Embuscade funèbre ! C'était la place des exécutions. La prison n'était pas loin de là. Nous descendîmes, comme des gens qui dévalent à l'abîme, cette rue qui va de la prison à la place de l'échafaud, et qu'on appelle dans toute ville la rue *Monte-à-Regret*, cette rue qu'il nous fallait empêcher Des Touches de monter le lendemain. La prison blanchissait au bout de cette espèce de boyau sombre, sur une autre place. Nous nous arrêtâmes... le temps de respirer... »

Elle contait comme quelqu'un qui a vécu de la vie de son conte. L'abbé et le baron, eux, ne respiraient plus.

— Ah ! c'était le moment ! fit-elle ; le moment terrible où l'on va casser le vitrage et où l'on serait perdu si, en le brisant, une seule vitre allait faire du bruit... La sentinelle, dans sa houppelande bleue, se promenait nonchalamment, son fusil penché dans l'angle de son bras, de l'un à l'autre côté du porche, comme un chappier d'église, à vêpres. Le dernier rayon vaillant de cette lune qui devait ressembler une heure après à un chaudron de bouillie froide, et qui nous rendit ce dernier service, tombait à plein dans la figure du soldat en faction et l'empêchait de distinguer nos ombres mobiles dans l'ombre arrêtée des maisons. « Je me charge de la sentinelle », dit à voix basse Juste Le Breton à *M. Jacques*, et d'un bond il fut sur elle et l'enleva, houppelande, fusil, homme et tout disparut avec ce paquet, sous le porche de la prison, en nous faisant le passage libre. Comment s'y était-il pris, ce diable de Juste ?... Mais la sentinelle n'avait pas poussé un seul cri.

« — Il l'aura poignardée ! fit *M. Jacques*. Allons, c'est à notre tour, messieurs. Nous pouvons avancer !...

« Et tous, avec lui, serrés les uns contre les autres comme les grains d'une grappe, nous nous précipitâmes sous le porche nettoyé par Juste, et nous entrâmes dans la première cour de la prison.

« C'était une cour parfaitement ronde, dont l'enceinte intérieure ressemblait à la cour d'un cloître, avec des arcades très basses et des piliers trapus. Elle était vide. Où était passé Juste ?... Nous fouillâmes du regard sous ces arcades noires où l'on ne voyait rien, entre ces piliers blancs où il avait porté peut-être la sentinelle égorgée ; mais bah ! il saurait bien nous retrouver, et nous franchîmes au pas accéléré la deuxième cour, aussi déserte que la première, pour arriver d'une haleine à la prison qui était au fond de la troisième... Ah ! nous allions vite ! Nous avions aux reins la pique de la nécessité ! Nous vîmes vaciller une lueur à un petit corps de bâtiment avancé, attenant à la geôle et qui ressemblait à ce qu'on appelle, en termes de construction militaire, une poivrière. Le geôlier n'était pas couché. Ce n'était plus l'énergique Hocson d'Avranches, avec son cœur désolé et implacable ; c'était tout simplement, celui-là, une bête brute à bonnet rouge, savetier, pour les gens de la ville, entre deux tours de clef. Comme c'était jour de décade ce jour-là, et qu'il avait à livrer le lendemain des chaussures à ses pratiques, il veillait... Sa femme et sa fille, une enfant de treize ans, dormaient dans une espèce de soupente très élevée et à laquelle on montait avec une échelle. Nous vîmes tout cela à travers une vitre crasseuse qu'une lampe à crochet éclairait d'un jour rouge et fumeux... Nous ne le prévînmes pas ; nous ne l'appelâmes pas ; nous ne frappâmes pas douce-

ment à sa porte ; mais, poussés par cette nécessité
d'agir à la *manière des boulets,* comme l'avait dit
M. *Jacques,* des onze crosses de nos carabines,
qui ne firent qu'un seul coup dans cette porte,
nous la fîmes voler sur ses gonds et nous tombâmes comme un tonnerre sur cet homme terrassé
d'abord, puis relevé de terre, mis sur ses pieds et
tenu au collet par deux poignes vigoureuses, avec
injonction, le couteau sur le cœur, de livrer ses
clefs et de nous conduire à Des Touches. Vous le
savez, monsieur de Fierdrap, les Chouans avaient
une renommée sinistre, et parfois ils l'avaient
méritée. On les voyait toujours un peu à la lueur
des horribles feux qu'ils allumaient sous les pieds
des Bleus. L'épouvante publique leur donnait un
des noms du diable : on les appelait *Grille-pieds.*
Nous profitâmes de cette affreuse réputation des
Chouans pour terrifier le misérable que nous
tenions, et Campion, qui avait les sourcils barrés
et la face terrible, le menaça de le faire griller
comme un marcassin de basse-cour seulement s'il
osait résister. Il ne résista pas. Il était dissous par
la surprise et par la peur, une peur idiote et livide.
Il livra ses clefs, et traîné par deux d'entre nous, il
nous mena au cachot de Des Touches. Sa femme
et sa fille étaient restées plus mortes que vives
dans leur soupente ; mais pour qu'elles n'en
descendissent pas et n'allassent avertir, nous ren-
versâmes l'échelle. La terreur leur coupait la
gorge. Elles ne crièrent pas, mais elles auraient
crié que peu nous importait. Ce n'était pas comme
la sentinelle. Les murs de la prison étaient épais.
Il y avait trois cours, toutes trois désertes. On
n'aurait pas entendu leurs cris.

« — Vive le Roi ! fîmes-nous en entrant dans le

cachot de Des Touches... Prisonnier une semaine à Avranches, prisonnier à Coutances depuis quelques jours, maltraité par ses ennemis, qui voulaient broyer son énergie sous les tortures de la faim et le montrer sur l'échafaud dans une déshonorante faiblesse, Des Touches était assis sur une espèce de soubassement de pierre, tenant au mur de la prison et qui avait la forme d'une huche ; lié de chaînes, mais fort calme.

« Il savait les chances de la guerre comme il savait les inconstances de la vague, ce partisan et ce pilote ! Pris un jour, délivré l'autre, repris peut-être ! il avait usé cette pensée...

« — Eh bien, dit-il avec son beau sourire, ce ne sera pas pour demain encore ! Tenez, ajouta-t-il, déferrez cette main et je vous aiderai pour le reste !

« Il avait tordu la chaîne qui attachait ses deux bras, mais pincés dans des bracelets d'acier qui paralysaient, en les comprimant, le jeu de ses muscles, il n'avait pas pu la briser !

« — Non, chevalier, lui dit *M. Jacques*, scier tout cela serait trop long ! Nous sommes pressés, nous vous enlèverons avec vos fers ! »

« Et comme il avait été dit, il fut fait, baron de Fierdrap ! Trois d'entre nous le prirent sur leurs épaules et l'emportèrent, comme sur un pavois !

« Nous roulâmes sur la dalle de cette prison, à la place de Des Touches, le geôlier auquel nous laissâmes la vie, mais que, par prudence, nous enfermâmes à double tour dans le cachot. Je mets plus de temps à vous conter toutes ces choses que nous n'en mîmes à les exécuter. Les zigzags de l'éclair ne sont pas plus rapides. Nous retraversâmes les trois grandes cours, toujours solitaires ;

mais à la rue..., à la rue, le danger allait recommencer.

« Et cependant tout était au mieux ! Nous tenions Des Touches ! La lune n'était plus qu'un œil vide. Elle tachait le ciel au lieu de l'éclairer, et le brouillard commençait à mettre, entre les objets et nous, comme une espèce de voile de soie... Les profils des maisons fondaient dans la vapeur. Nous reprîmes les rues que nous avions suivies déjà, toujours sans rencontrer personne ! Hasard prodigieux ! C'était presque de la féerie ! Cette ville, immobile dans son sommeil, semblait enchantée. Quand nous repassâmes dans la rue de la bonne femme qui vidait sa cuvette, elle était encore à la même place, faisant le geste de la vider toujours ! Nous la vîmes moins à cause du brouillard : mais elle disait, sans discontinuer, son *gare à l'eau !* prudent et plaintif. Etait-ce une statue qui parlait ? Ce que nous entendîmes tout à coup l'interrompit-elle ? Dans l'immense silence de la ville, un coup de fusil éclata.

« — Armons nos carabines, messieurs, et garde à nous ! dit *M. Jacques.*

« — Et gare les balles ! dit Desfontaines. Ce n'est plus : *gare l'eau !*

« Presque au même instant, une autre détonation plus âpre déchira plus cruellement l'air et fit vibrer l'espace.

« — Ceci est la carabine de Juste Le Breton ! dit *M. Jacques,* qui la reconnut avec son oreille militaire.

« Il n'avait pas prononcé ces mots que Juste, lancé comme un tigre, tombait parmi nous, et nous disait de sa voix claire :

« — Doublez le pas ! voici les Bleus ! »

« Or, sachez ce qui s'était passé, monsieur de Fierdrap ! le « Téméraire », qui n'avait pas volé son nom, au lieu de poignarder la sentinelle, ainsi que l'instinct de la guerre l'avait fait croire à *M. Jacques*, l'avait portée vivante, à bout de bras, sous les arcades de la prison. Sûr de sa force, et aimant à jouer avec elle, il avait eu le dédain généreux de ne pas tuer cet homme, et il l'avait tenu dans l'impossibilité absolue de pousser un cri, tant de sa formidable main il l'avait étreint à la gorge ! et il était resté ainsi, l'étreignant, tout le temps que nous avions mis à enlever Des Touches. Du fond de son arceau et de ces ténèbres, il nous avait vus repasser dans la cour avec le prisonnier, et, pour nous donner le temps de faire sûrement notre retraite, il avait continué de maintenir la sentinelle dans cette situation, terrible pour tous les deux. Quand il nous crut assez loin de la prison pour n'avoir plus rien à craindre, il la lâcha et il pensa l'avoir étouffée. En effet, ruse ou douleur d'avoir senti si longtemps le carcan de cette main de fer, elle était tombée aux pieds de Juste, qui s'en alla. Mais, une fois parti, la sentinelle, fidèle à sa consigne, s'était relevée, avait ramassé son fusil et tiré pour appeler le corps de garde aux armes.

« Juste était alors au haut de la rue *Monte-à-Regret*.

« Ah ! pensa-t-il, j'ai fait une faute d'avoir épargné cette canaille, mais elle va la payer !

« Et il redescendit la rue, et, à soixante pas, malgré le brouillard, il étendit roide mort la sentinelle qui rechargeait son arme, — et il prit sa volée pour nous rejoindre et nous avertir !

« Mais le feu était à la poudre ! On entendait

des roulements de tambour du côté du quartier de la ville que nous venions de quitter. Nous hâtions le pas.

« Derrière nous, à l'extrémité d'une des rues que nous enfilions, nous vîmes une troupe que nous crûmes les gens du corps de garde, et c'étaient eux probablement. Ils s'avançaient avec précaution, car ils ne savaient pas notre nombre... *Qui vive !* firent-ils en s'approchant, mais tous, excepté ceux qui portaient Des Touches, nous leur répondîmes par une décharge de carabines, qui leur dit, du reste, avec une clarté suffisante que nous étions *les Chasseurs du Roi !*

« Eux aussi tirèrent. Nous sentîmes le vent de leurs balles qui ricochèrent contre les murs, mais ne nous tuèrent personne. Il était évident pour nous, à la mollesse de leur poursuite, que ces hommes qui marchaient sur nous attendaient du renfort de la garnison réveillée, et cette circonstance nous donna de l'avance, et probablement nous sauva. Tout en marchant presque à la course, partout où nous apercevions un réverbère, d'un coup de feu il était cassé ! l'obscurité pleuvait donc dans ces rues étroites, où la plus forte troupe n'aurait pu déployer qu'un très petit front. C'était là pour nous un avantage. Ceux qui portaient Des Touches étaient couverts par les neuf autres, qui de minute en minute se retournaient et tiraient, en se retournant. Nous touchions à la porte du faubourg de la ville, et il était temps ! Au centre de Coutances s'élevait un grand tumulte. On entendait distinctement les cris *Aux armes !* La ville était debout. Ceux qui, derrière nous, avançaient ne prenaient que le temps de recharger leurs armes. A la dernière décharge qu'ils firent sur nous, fatalité ! *M. Jacques* s'abattit, après avoir deux fois tourné sur lui-même comme une toupie. J'étais près de lui quand il tomba.

« Oh ! son pressentiment ! pensai-je.

« Et l'idée d'Aimée me traversa le cœur.

« — Est-il mort ? dis-je à Juste Le Breton, qui l'avait relevé.

« — Mort ou non, répondit-il, nous ne le laisserons pas aux Bleus, qui se vengeraient de nous en fusillant son cadavre ; et, le levant de ses deux bras d'Hercule, il le coucha sur les épaules de ceux-là qui portaient Des Touches, lequel eut ainsi son camarade de pavois !

« Vingt minutes après, la ville était déjà loin, noyée dans son brouillard et dans son bruit, et nous, en pleine campagne, avec notre double fardeau. Nous n'avions été ni traqués, ni coupés, mais nous allions l'être, si la rue du faubourg n'avait pas fini. Dans la campagne, le brouillard était encore plus épais que dans la ville. Une fois sortis des rues, les Bleus qui nous poursuivaient ne pouvaient savoir la direction que nous allions prendre. D'ailleurs la campagne, le hallier, le buisson, les routes perdues, tout cela nous connaissait ! Nous étions des Chouans !

« La Varesnerie, qui savait le pays par cœur, nous fit prendre par les terres labourées. Puis nous ouvrîmes une ou deux barrières fermées seulement avec des couronnes de bois tors et nous entrâmes dans des chemins qui ressemblaient à des ornières. Au bout de deux heures de marche à peu près, nous descendîmes dans un bas-fond où coulait une rivière au bord de laquelle était amarré un grand bateau destiné à charrier cet engrais que dans le pays on nomme *tangue* et

qu'on tire au *grelin*, le long d'un chemin de
halage, parallèle à la rivière dans toute sa longueur.

« C'est dans ce grand bateau que ceux qui
portaient Des Touches et *M. Jacques* les déposè-
rent, et c'est là que nous restâmes à attendre le
jour, heureux d'avoir délivré l'un, mais le cœur
glacé d'avoir perdu l'autre. Quand le jour vint
nous prendre, nous pûmes juger de la blessure de
M. Jacques. Il avait reçu une balle en plein cœur.
Nous l'enterrâmes au bord de cette rivière inconnue, cet inconnu dont nous ne savions rien, sinon
qu'il était un héros ! Avant de l'étendre dans la
fosse que nous lui creusâmes avec nos couteaux
de chasse, je coupai à son bras le bracelet que lui
avait tressé Aimée, de ses cheveux plus purs que
l'or, et dont le sang qui le couvrait allait faire pour
elle une relique sacrée. Sans prêtres, loin de tout,
nous lui rendîmes le seul honneur que des soldats
puissent rendre à un soldat, en le saluant une
dernière fois du feu de nos carabines, et en
parfumant le gazon, sous lequel il allait dormir,
de cette odeur de la poudre qu'il avait toujours
respirée ! »

— Il n'est pas à plaindre, dit M. de Fierdrap,
qui crut répondre à la pensée secrète de mademoiselle de Percy. Il est mort de la mort d'un
Chouan et il a été enterré au pied d'un buisson,
comme un Chouan, sa vraie place ! tandis que
Des Touches, que l'abbé vient de voir sur la place
des Capucins, est probablement fou, errant,
misérable, et que Jean Cottreau, le grand Jean
Cottreau, qui a nommé la Chouannerie et qui est
resté seul de six frères et sœurs, tués à la bataille
ou à la guillotine, est mort, le cœur brisé par les

maîtres qu'il avait servis, auxquels il a vainement demandé, pauvre grand cœur romanesque, le simple droit, ridicule maintenant, de porter l'épée ! L'abbé a raison : ils mourront comme les Stuarts.

Mademoiselle de Percy n'eut pas le courage de protester une seconde fois contre l'opinion de ces blessés de la fidélité atteints au cœur, qui, comme l'abbé et le baron, se plaignaient entre eux des Bourbons, comme on se plaindrait d'une maîtresse, car se plaindre de sa maîtresse est peut-être une manière de plus de l'adorer !

— Après les derniers devoirs rendus à *M. Jacques*, reprit la conteuse, nous pensâmes à délivrer de ses fers le chevalier Des Touches que nous avions assis et appuyé, dans le bateau à tangue, contre le mât auquel on attache le grelin. Ceux qui l'avaient pris lui avaient fait comme une espèce de camisole de force avec des chaînes croisées et recroisées, et ils les avaient serrées au point de produire l'engourdissement le plus douloureux en cet homme svelte et souple, dans les membres duquel dormait une force qui avait ses réveils, comme le lion. Avec son instinct et son amour du combat, il avait dû furieusement souffrir d'entendre passer les balles autour de lui, sur les épaules de ses compagnons, et de n'en pouvoir cracher une seule à l'ennemi : mais la marque distinctive du courage de Des Touches, c'était la patience de l'animal ou du sauvage sous la circonstance qui l'écrasait. C'était un Indien que cet homme de Granville ! Il avait jusque-là, dans la marche et dans la nuit, souffert de ses chaînes en silence, mais, depuis qu'il faisait jour et que nous n'avions plus l'ennemi aux talons, il devait avoir

hâte d'être délivré du poids écrasant de ses fers !
Tout à l'heure, il faudrait reprendre notre route,
et lui, libre, serait un fier soldat de plus, si nous
étions attaqués, d'aventure, dans notre retour à
Touffedelys. Nous essayâmes donc de forcer et
de rompre toute cette ferraille ; mais, n'ayant que
nos couteaux de chasse et les chiens de nos
carabines, une telle besogne menaçait d'être longue et peut-être impossible, quand un de ces
hasards comme il ne s'en rencontre qu'à la guerre
nous tira de l'embarras dans lequel nous nous
trouvions alors.

— Ah ! c'est l'histoire de Couyart ! dit en se
remuant voluptueusement dans sa bergère mademoiselle Sainte de Touffedelys, comme si on
lui avait débouché sous le nez un flacon de
l'odeur qu'elle eût préférée.

On voyait que cette histoire, dont l'héroïsme
n'agitait pas beaucoup son cervelet, tombait enfin
dans des proportions qui lui plaisaient. Tout est
relatif dans ce monde. Le temps avait croisé le
cygne des anciens jours d'une pauvre oie, qui
n'eût pas sauvé le Capitole. Mademoiselle de
Touffedelys s'était presque animée... Couyart
était son horloger.

— Il est venu encore ce matin remonter la
pendule, dit profondément cette observatrice
ineffable.

Elle portait un vieil et grand intérêt à ce
Couyart, qui croyait aux revenants comme elle, et
qui l'entretenait perpétuellement, lorsqu'il venait
remonter le Bacchus d'or moulu, de tous ceux
qu'il voyait partout, car cela lui était habituel, à ce
brave homme. Il ne pouvait sortir même dans sa
cour, pour ce que vous savez, sans en voir ! C'était

un homme timide, scrupuleux, au parler doux,
qui parlait comme il marchait, dans des chaussons
de velours de laine qu'il portait toujours, par
respect pour le glacis du parquet des salons dont il
remontait les pendules. Il était délicat et nerveux ;
blanc de visage comme une vieille femme, et,
quoique chauve du front et du crâne, coiffé assez
drôlement à la Titus d'un reste de cheveux sur
l'occiput et sur les oreilles, qu'il poudrait par
l'unique raison que c'était la mode des gens *comme
il faut,* avant *cette malheureuse révolution...* Il avait,
disait-il, toujours été *aristocrate.* Avec ses pratiques, et c'était toute la noblesse de Valognes, il
était de cette timidité qui flatte les princes, quand
un homme ne sait plus trouver ses mots devant
eux. Exquise flatterie ! Elle lui était naturelle.

Il *coupotait* ses phrases des *hem ! hem !* de l'embarras, et les commençait par des *or donc* impossi-
bles ; ce qui prouvait que les rouages de la
mécanique ne donnent pas les habitudes du
raisonnement. Lorsqu'il ne travaillait pas à ses
montres, assis, debout, en marchant, il frottait
éternellement avec satisfaction l'une contre l'autre ses mains mollettes et pâlottes d'horloger,
accoutumées à tenir des choses délicates et fragi-
les, et il faisait le bonheur des enfants de la rue
Siquet et de la rue des Religieuses, quand, en
revenant de l'école, ils se groupaient au vitrage de
sa boutique pour le voir devant son établi, couvert
d'un papier blanc et de verres à pattes sous
lesquels il mettait les rouages de ses montres,
absorbé tout entier dans sa loupe, et cherchant ce
qu'il appelait un *échappement.*

CHAPITRE VIII

LE MOULIN BLEU

Mademoiselle de Percy passa naturellement par-dessus la réflexion de l'ingénue mademoiselle Sainte de Touffedelys, et elle continua :

— Pendant que nous nous efforcions, baron, de délivrer Des Touches de ses chaînes, et je vous jure que cela nous parut un instant plus difficile que son enlèvement, nous vîmes poindre de loin un homme le long du chemin de halage. Saint-Germain, qui avait l'œil d'une vedette, l'avisa le premier qui s'en venait tranquillement de notre côté, et quand je dis tranquillement, je dis trop, il n'était déjà plus tranquille. Ce groupe d'hommes que nous formions de si bon matin, au bord de cette rivière, qui ne voyait pas d'ordinaire grand monde sur ses bords, ce groupe armé dont le soleil qui se levait, en dissipant le brouillard, faisait étinceler les carabines, inquiétait cet homme aux pas circonspects et presque cauteleux, car vous savez comme il marche, Sainte ? Je l'ai toujours vu le même, ce Couyart ! Il était là, au bord de cette rivière, où je le voyais pour la première fois, comme ici dans votre salon, quand il y vient pour la pendule. Oui, notre groupe, dont il ne se rendait pas de loin très bien compte, l'inquiétait et le fit même se retourner, comme un chat prudent qui voit le danger et qui l'évite, et remonter le chemin de halage.

« — On ne s'en va pas comme cela, mon mignon, dit Saint-Germain, quand on a le bonheur de rencontrer des *Chasseurs du Roi* avant son déjeuner, et je te promets que tu n'iras dire à personne, ce matin, que tu nous as vus.

« Et il arma sa carabine et il l'ajusta.

« Il allait lui mettre certainement une balle au beau milieu des deux épaules, quand La Varesnerie, qui travaillait à casser une vis avec le dos de son couteau de chasse, dans un des ferrements de Des Touches, releva de ce couteau le canon de la carabine.

« — Laisse cette bécasse ! lui dit-il. Ce n'est pas un espion. C'est Couyart, Couyart de Marchessieux, qui s'en vient de Marchessieux à Coutances, où il est compagnon horloger chez Le Calus, sur la place de la Cathédrale, vis-à-vis de l'hôtel de *Crux*. Je le connais, c'est un royaliste. Il m'a bien des fois remonté ma montre de chasse. Il arrive comme la marée en carême. C'est peut-être Dieu qui nous l'envoie, car un ouvrier horloger doit toujours avoir quelque outil ou quelque ressort de montre dans sa poche, et il va probablement nous donner le coup de main dont nous avons besoin dans l'endiablée besogne de cette ferraille.

« Et comme il voyait que l'homme, craignant quelque encombre, s'était retourné, il éleva la voix et courut à lui :

« — Hé ! Couyart, fit-il, hé, hé ! Couyart ! Ce sont des amis !

« L'horloger s'arrêta ; et, deux secondes après,

nous le vîmes, chapeau bas, devant La Varesnerie, qui l'amena à nous, toujours chapeau bas.

« Il n'était pas encore très rassuré ; mais quand son petit œil d'oiseau pris, que l'on tient dans sa main, eut fait circulairement le tour de notre groupe :

« — Eh ! mon Dieu ! dit-il, c'est donc vous aussi, monsieur Lottin de La Bochonnière (qui, de vrai, s'appelait Lottin) et c'est vous aussi monsieur Desfontaines. Or donc, j'ai bien l'honneur de vous présenter mes très humbles civilités et respects, et je vous prie de croire, *or donc*, que je... hem ! ne pensais du tout, pas... hem ! hem ! à vous rencontrer de si bon matin.

« — Oui, c'est un peu jour pour nous, qui sommes les chevaliers de la Belle Etoile, dit La Varesnerie, mais avant tout le service du Roi ! C'est le service du Roi qui nous a fait passer la nuit à Coutances, et voilà pourquoi nous ne sommes pas encore rentrés quand le soleil qui se lève marque l'heure de notre couvre-feu, à nous. Vous êtes un bon royaliste, Couyart, et vous apprendrez avec plaisir que nous avons fait de la besogne cette nuit à Coutances ; mais, mon brave Couyart, nous avons besoin de vous ce matin pour l'achever.

« — De moi, monsieur ? fit l'horloger, cette créature de douceur et de paix, qui se voyait au milieu de nous tous, appuyés sur des carabines, je ne vois pas, hem ! très bien, hem ! hem ! comment je... pourrais... Est-ce pour l'heure ? fit-il en se ravisant. Or donc, j'ai l'heure, — et il lança la plaisanterie inféodée à l'horlogerie depuis la fabrication de la première horloge : Je règle le soleil.

« — Tenez, Couyart ! dit La Varesnerie ; écartez-vous un peu, messieurs, car nous lui cachions le bateau à tangue et Des Touches ; et il montra alors à l'horloger ébahi, dont les yeux devinrent ronds ainsi que la bouche, le chevalier comme emmailloté dans ses fers. Tenez, voilà notre besogne, et la vôtre ! Vous devez certainement avoir des outils de votre état sur vous, quelque lime ou un ressort de montre, ce qui vaudrait encore mieux ! Eh bien, mon fils, limez-nous toute cette enragée ferraille-là, et vous pourrez vous vanter, quand le Roi reviendra, d'avoir été l'un des libérateurs de Des Touches !

« Et voilà, baron, comme il le fut à sa manière, ce Couyart, comme nous, nous l'avions été à la nôtre. La Varesnerie avait prévu juste. Couyart, il nous le dit, avait toujours un tas d'outils dans ses poches.

« — Travaillez donc, mon brave garçon, fit La Varesnerie, et soyez tranquille ; je vous jure par Dieu et par tous les saints du calendrier que personne ne vous donnera de distraction, pendant que vous travaillerez. Vous ne serez pas interrompu, allez ! Ceci nous regarde de vous préserver des importuns.

« Et nous battîmes un peu l'estrade autour de lui pendant qu'il travaillait. Ce travail, que nous n'aurions jamais pu faire sans lui, dura une moitié de journée. Jamais montre ou horloge, prétendit-il, ne lui avait donné plus de tablature et de *tintouin* que ces maudites chaînes ; mais il y mit la patience d'un homme patient, qui m'étonne toujours beaucoup, moi, et il y ajouta celle d'un horloger, qui m'est, pour celle-là, tout à fait incompréhensible ! Ce fut dur, mais il y parvint.

Il s'en tira à son honneur. Mais la peine que cela lui coûta marqua tellement dans sa vie, à ce pauvre diable de Couyart, que depuis ce temps-là quand il voulait parler ou d'un raccommodage compliqué dans ses horlogeries, ou de quelque chose de prodigieusement difficile en soi, il disait invariablement toujours : « C'est difficile, ça, comme de *scier les fers de Des Touches !* »

« Tout cela est à présent bien loin de nous, monsieur de Fierdrap, et le temps, qui a mis son éteignoir sur nos jeunesses, a si bien éteint l'éclat que nous avons eu et le bruit que nous avons fait dans les jours lointains d'autrefois que cette locution de Couyart, *« difficile comme de scier les fers de Des Touches »*, cette locution qui passe pour un tic de langage du pauvre homme, personne ne sait plus ce qu'elle veut dire ; mais nous trois, Ursule, Sainte et moi, nous le savons ! »

Ce n'était pas la première fois qu'une note mélancolique vibrait dans l'histoire de cette noble vieille fille, d'ordinaire si peu mélancolique ; mais ce n'était là jamais qu'une note qui passait vite dans ce récit, animé par la gaieté d'un cœur si vaillant.

— Quant au chevalier Des Touches, reprit-elle après le temps d'étouffer seulement un soupir, dès qu'il fut rentré dans sa liberté et dans sa force, il nous remercia avec courtoisie. Il nous serra la main à tous. Quand il prit la mienne, comme à l'un des Douze, il me reconnut sous ces habits d'homme que j'avais déjà portés dans d'autres circonstances, mais sous lesquels il ne m'avait pas vue encore. Il ne s'en étonna pas. Qui s'étonnait de quelque chose dans ce temps ? Il savait que j'aimais les fusils plus que les fuseaux. Et quelle meilleure occasion, pour satisfaire ce goût-là, que la nécessité de vivre de cette vie armée de partisans, qui était alors notre vie ?

« — Messieurs, nous dit-il, le Roi vous doit un serviteur qui va recommencer son service. Ce soir, j'aurai repris la mer. Le soleil va bientôt décliner ; mais il est trop haut encore pour que nous puissions nous montrer sur les chemins réunis et en armes. Il faut nous *égailler*. Seulement dans deux heures nous pouvons nous rejoindre à ce moulin à vent qui est ici à votre droite, sur une hauteur et qui la couronne, et je vous y donne rendez-vous.

« — C'est le *Moulin bleu*, dit La Varesnerie.

« — Bleu, en effet, reprit sombrement Des Touches, car c'est dans ce moulin-là, messieurs, que les Bleus m'ont pris par trahison et vous ont donné la peine de me reprendre. J'ai juré dans mon cœur que je leur payerais, argent comptant, cette peine qu'ils vous ont donnée. J'ai juré, fit-il d'une voix éclatante comme un cuivre, que je vengerais la mort de *M. Jacques*. Vous verrez si je tiendrai mon serment ! Avant que ce soleil, qui dit trois heures d'après-midi, ait disparu sous l'horizon, et moi dans la brume des côtes d'Angleterre, je vous donne ma parole de Chouan que le *Moulin bleu* sera devenu le *Moulin rouge*, et que, dans la mémoire des gens de ces parages, il ne portera plus d'autre nom ! »

« Je le regardais pendant qu'il parlait, et jamais, avec sa taille étreinte dans la ceinture de sa jaquette de pilote, il n'avait été plus l'homme de son nom de guerre, *la Guêpe* ; la guêpe qui tirait son dard et qui veut du sang ! Il me rappelait aussi ces lions *passant* de blason, au râble étroit et nerveux, comme celui des plus fines panthères, et onglé, à ce qu'il semble, pour tout déchirer. Sa figure de femme, que je n'aimais pas, mais que je ne pouvais m'empêcher de trouver belle, respirait, soufflait, aspirait avec une telle férocité la vengeance qu'elle était cent fois plus terrible que si elle avait été de la plus crâne virilité.

« Tous les Douze, nous tombâmes sous l'action de ce visage de Némésis. Mais La Varesnerie eut probablement la prévision de quelque chose d'épouvantable, qui devait amener d'abominables représailles et noircir un peu davantage la noire réputation des Chouans, qui l'était bien assez comme cela.

« — Et si nous n'allions pas à votre rendez-vous, monsieur ? demanda La Varesnerie, qu'en arriverait-il ?

« — Rien, monsieur ! fit fièrement Des Touches, et dans le gonflement de ses narines je vis passer comme le vent de l'épée. Je vous voulais comme témoins d'une justice, mais je n'ai besoin de personne pour faire moi-même ce que j'ai résolu.

« La Varesnerie réfléchit un instant. Il y avait du chef dans cette tête de La Varesnerie. Il était jeune. Quelque temps après cette époque, M. de Frotté le nomma major.

« — Seul contre plusieurs peut-être, murmura-t-il. Non, monsieur, nous vous avons sauvé et nous vous devons au Roi. Nous irons tous ; n'est-ce pas, messieurs ? »

« Nous en convînmes, baron, et nous nous quittâmes, en prenant des sentiers différents. Je m'en allai, moi, avec ce Juste Le Breton, que vous appelez mon favori, mon frère. Vous avez raison ;

il l'était, et je n'ai pas besoin d'ajouter le *honni soit qui mal y pense*, car avec les grâces de ma personne, qui pouvait mal penser de moi ? Juste me disait en marchant :

« — Que va-t-il faire, le chevalier Des Touches ? Il a les outrages de deux emprisonnements accumulés sur un cœur diablement altier.

« Juste, comme moi, s'intéressait à Des Touches, parce qu'il ne voyait en lui que ce que j'y voyais uniquement, l'homme de guerre, indifférent à tout ce qui n'était pas la guerre et ses farouches ambitions !

« — Ils l'ont pris par trahison, continuait Juste. Il a été livré aux Bleus, mais quand ? et comment ? et à quel moment ? Car Des Touches, c'est la vigilance et c'est l'insomnie !

« Nous étions si préoccupés de ce qui allait suivre que nous remontâmes, sans nous apercevoir de la longueur du chemin, les pentes de la hauteur où se trouvait perché le *Moulin bleu*, comme on l'appelait dans le pays. En proie au magnétisme de la curiosité, de l'idée fixe, du lieu qu'on n'a pas vu et qu'on veut voir, attirés par ce lieu, presque aspirés, comme un enfant qui tombe dans la vague du bord est aspiré par la mer, nous arrivâmes les premiers au lieu du rendez-vous, et nous nous tînmes, à quelque distance du moulin à vent en question, attendant nos compagnons et, probablement avant eux, Des Touches !

« C'était un endroit bien tranquille. Sa hauteur était le résultat d'un mouvement de terrain très doux, mais très continu, qui, par conséquent, ne semblait rien pour les pieds une fois qu'on l'avait atteinte, mais qui était beaucoup pour les yeux, quand, en se retournant, on regardait derrière soi

la route par laquelle on était venu. La surface de
toute cette hauteur était revêtue d'une herbe
courte, mais assez verte. Il y paissait chichement
deux ou trois brebis. Il n'y avait là ni un arbre ni
un arbuste, ni une haie, ni un fossé, ni une butte,
ni quoi que ce soit qui pût faire obstacle au vent,
qui était roi là, qui jouait là parfaitement à son
aise et faisait tourner son moulin avec un mouvement d'une lenteur silencieuse. Rien ne cra-
quait, ni ne grinçait, dans ce moulin, aux vastes
ailes, dont les toiles tendues palpitaient parfois, à
certains souffles plus forts, comme des voiles de
navires ! C'était donc là le *Moulin bleu.* Pourquoi
l'appelait-on bleu ?... Etait-ce parce que la porte,
les volets, la roue qui fait tourner le toit, et jusqu'à
la girouette, tout était de ce bleu qu'on a nommé
longtemps *bleu de perruquier,* pour la raison que les
perruquiers, depuis Saint Louis, dit-on, en badi-
geonnaient leurs boutiques ?

« Tout ce qui n'était pas la muraille du moulin
et ses ailes était de ce bleu pimpant et joyeux, qui
paraissait plus clair dans le bleu plus foncé du ciel
et dans cette chaude lumière que lui envoyait un
soleil de cinq heures du soir qui ne le dorait pas
encore. Pourquoi tout ce bleu inconnu aux
moulins à vent de la Normandie ? Etait-ce pour
justifier le jeu de mots, recherché de tous les
populaires ? C'était le Moulin bleu, c'est-à-dire le
moulin qui n'était pas blanc ! Le moulin *patriote !*
La porte coupée faisait en même temps porte et
fenêtre, et la partie qui faisait fenêtre était ouverte. Du reste, personne ! ni meunier, ni meu-
nière ; rien que le moulin dans son large tournoiement solitaire, dont la rotation semblait
s'accomplir au fond d'un sac d'ouate, tant elle glis-

sait dans le silence ! et dont les ailes, courant, comme les heures, les unes après les autres dans ce tournoiement placide et mesuré, ne tremblaient même pas !

« Ce ne fut pas long, ce silence... un *pizzicato* de violon s'entendit, et passa par la porte à moitié ouverte. Maigre et aigre, c'était une chanterelle qui s'éveillait sous une main qui dormait encore... une main de meunier qui a de la farine de son moulin dans les oreilles, et qui pour cela ne s'entend pas !

« — Quel bon air a ce moulin de la trahison ! dit Juste. Je ne suis pas surpris que Des Touches lui-même s'y soit trompé !

« Cependant le *pizzicato* continuait, incertain, vague, endormi, et perceptible seulement à cause du profond silence de cet après-midi d'été et de ce moulin, qui semblait tourner dans le vide ! Il y avait vraiment de quoi vous faire partager cette sensation de somnolence dans laquelle évidemment se trouvait plongé ce meunier invisible, qui rêvait de jouer plutôt qu'il ne jouait !

« C'est à ce moment d'une sensation unique pour moi, monsieur de Fierdrap, quand je pense à ce qui l'a suivi, que Des Touches, que nous attendions avec impatience, parut seul sur la piètre pelouse de cette hauteur. Il devançait les dix autres des Douze, mais il vit que nous étions là, Juste Le Breton et moi. Il nous fit le signe du silence. Il était sans armes et il avait les mains vides. Depuis que nous l'avions quitté, il n'avait pas arraché dans une haie de quoi se faire seulement un bâton !

« Il ouvrit la porte au loquet du moulin et entra... Nous n'entendîmes plus le *pizzicato*... cela s'arrêtant comme une montre qui faisait, il n'y a qu'une minute, *tac, tac,* et qui ne va plus... »

— Eh bien, ni toi non plus ! dit l'abbé à sa sœur, qui s'était arrêtée, humant l'impression qu'elle produisait, car elle voyait bien qu'elle en produisait une sur M. de Fierdrap et sur son frère. Va donc, ma sœur. Va donc ! et ne nous brûle pas à petit feu.

« — Ce sont nos amis, fit Juste Le Breton, qui les vit venir, reprit-elle, à cet instant que je puis appeler suprême à présent, mais qui n'était alors rempli que d'une anxiété sans nom.

« Quand ils arrivèrent sur la hauteur et qu'ils nous aperçurent :

« — Nous venons au rendez-vous, dit La Varesnerie. Où est le chevalier ?

« — Le voici ! lui répondis-je, attendu que depuis qu'il était dans le moulin, mes yeux n'avaient cessé de rester braqués sur la porte laissée ouverte derrière lui.

« Il en sortait. Mais pouvait-on dire qu'il était avec quelqu'un ? Il tenait par le cou, dans ses deux mains dont il lui faisait une cravate, le meunier du moulin bleu, grand et pansu, et qu'il traînait ainsi après lui, dans la poussière.

« — Diable ! fit Desfontaines, toujours Vinel-Aunis ; le moulin n'est plus bleu tout seul, c'est aussi le meunier !

« Quand Des Touches parut sur le sol du moulin silencieux, d'où personne ne sortit que lui et ce meunier, qui ne semblait pas peser aux mains qui l'agrafaient, nous crûmes que c'était fini... qu'il l'avait tué, et c'était déjà assez tragique, n'est-ce pas, baron ? Mais, bah ! nous allions avoir tout à l'heure un bien autre tragique sous les yeux !

« Le meunier s'était évanoui sous les serres de Des Touches. Son sang, — c'était comme un tonneau plein jusqu'à la bonde que cet homme apoplectique, — son sang l'étouffait, mais il vivait sans connaissance et le chevalier Des Touches, qui connaissait la proportion de la force de son effort à la force de son ennemi, le chevalier Des Touches savait que cet homme immobile vivait...

« — Messieurs, dit-il, c'est le traître, c'est le Judas qui m'a livré aux Bleus ! Tout ce qui a été massacré à Avranches, Vinel-Aunis probablement tué, *M. Jacques*, frappé cette nuit et enterré par vous ce matin, et quinze jours où ils m'ont fait boire l'outrage comme l'eau et dévorer comme du pain les plus infâmes traitements, tout cela doit être mis au compte de cet homme que voilà, et dont le supplice m'appartient...

« Nous écoutions, croyant qu'il allait faire appel à nos carabines, mais il tenait toujours, dans ses mains fermées, le cou de cet homme, dont le corps pendait sur le sol et dont il avait la tête énorme appuyée sur sa cuisse, comme si c'eût été un tambour.

« — Messieurs, reprit-il, — il avait peut-être, avec la lucidité du sang-froid qu'il gardait au milieu de tout cela, vu quelques-unes de nos mains se crisper sur le canon des carabines, — gardez votre poudre pour des soldats... Souvenez-vous, monsieur de La Varesnerie, que je n'ai voulu les Douze de la Délivrance que pour être les témoins de la Justice ! Moi seul, je me charge du châtiment... Pierre le Grand, qui me valait bien, que je

sache, a été souvent, dans sa vie, à la même
minute, le juge et le bourreau.

« Nul de nous, qui l'entendions et qui le regardions, ne comprenions ce qu'il voulait faire ; mais
pour tenter seulement de faire ce à quoi il pensait,
il fallait être un miracle de force..., il fallait être ce
qu'il était !... Il resta, d'une main tenant cette tête
de taureau du meunier et il la plaça entre ses deux
genoux, en montant brutalement à cheval sur sa
nuque... Nous crûmes qu'il allait la luxer. Mais ce
n'était pas cela encore, monsieur de Fierdrap ! Ce
meunier avait une ceinture, une de ces ceintures
comme en portent encore les paysans de Normandie ; tricots flexibles et forts, qui soutiennent
les reins de ces hommes de peine, et nous dîmes :
« Il va l'étrangler ! » en lui voyant dénouer cette
ceinture de son autre main ; mais à chaque geste,
nous nous trompions !

« Non, ce fut quelque chose d'inattendu et de
stupéfiant ! Il prit, ayant l'homme entre les genoux, une des ailes du moulin qui passait et il
l'arrêta net dans son passage ! Ce fut si magnifique de force que nous nous écriâmes...

« Il tenait toujours son aile avec ses deux mains.

« — On vous cite, monsieur Juste Le Breton, lui
dit-il, comme un des plus forts poignets de tout le
Cotentin. Eh bien, seriez-vous homme à me tenir
une seule minute cette aile de moulin que je viens
d'arrêter ?

« Juste ne résista pas. Des Touches le saisissait
par son amour, son idolâtrie de sa force, par cet
enivrement de la force dont il a été puni plus tard
en tombant sous une blessure de rien... Juste prit
avec orgueil l'aile du moulin des mains du chevalier, et, sous le coup de cette rivalité qui décuple

les forces humaines, il la contint ! Il la contint pendant le temps que Des Touches lia avec sa ceinture le meunier qu'il avait couché sur toute la longueur de cette aile, laquelle, dès qu'elle ne fut plus contenue, reprit son grand mouvement, mesuré et silencieux.

« Ah ! c'était là un carcan étrange ! n'est-il pas vrai, baron ? une exposition comme on n'en avait jamais vu que cet homme lié sur son aile de moulin, qui tournait toujours ! Le mouvement, l'air qu'il coupait en décrivant ainsi dans les airs le grand orbe de cette aile, qui l'y faisait monter tout à coup pour en redescendre, et en redescendre pour y monter encore, le firent revenir à lui. Il rouvrit les yeux. Le sang qui menaçait de lui faire éclater la face comme le vin trop violent fait éclater le muid, retomba le long de son corps et il pâlit... Des Touches eut un mot de marin.

« — C'est le mal de mer qui commence, fit-il cruellement.

« Le meunier, qui avait d'abord ouvert les yeux, les referma comme s'il eût voulu se soustraire à l'horrible sensation de cet abîme d'air qu'il redescendait sur l'aile, l'implacable aile de ce moulin, remontant éternellement pour redescendre, et redescendant pour remonter... Le soleil qui brillait en face dut mêler la férocité de son éblouissement à la torture de cet étrange supplicié, qui allait ainsi par les airs ! Le malheureux avait commencé par crier comme une orfraie qu'on égorge, quand il avait repris connaissance ; mais bientôt il ne cria plus... Il perdit l'énergie même du cri... l'énergie du lâche ! et il s'affaissa sur cette toile blanche de l'aile du moulin, comme un grabat d'agonie. Je crois vraiment que ce qu'il

souffrait était inexprimable... Il suait de grosses
gouttes que l'on voyait d'en bas reluire au soleil
sur ses tempes... Ces messieurs regardaient les
yeux secs, la lèvre contractée, impassibles... Mais
moi, monsieur de Fierdrap (et Mort-Dieu ! c'était
pour la première fois de ma vie), je sentais que je
n'étais pas tout à fait aussi homme que je le
croyais ! Ce qu'il y avait de femme cachée en moi
s'émut, et je ne pus m'empêcher de dire à ce
terrible vengeur de chevalier Des Touches :

« — Pour Dieu, chevalier, abrégez un pareil
supplice.

« Et je lui tendis ma carabine, à lui qui était
désarmé !

« — Pour Dieu donc et pour vous, mademoiselle ! répondit-il. Vous avez fait assez cette nuit
même, pour que je ne puisse vous rien refuser.

« Et, se plaçant bien en face, à trente pas, avec
l'adresse d'un homme qui tuait au vol les hirondelles de mer dans un canot que la vague balan-
çait comme une escarpolette, il tira son coup de
carabine si juste, quand l'aile du moulin passa
devant lui, que l'homme étendu sur cette cible
mobile fut percé d'outre en outre, dans la poitrine.

« Le sang ruissela sur la blanche aile qu'il
empourpra et un jet furieux qui jaillit comme
l'eau d'une pompe, de ce corps puissamment
sanguin, tacha la muraille d'une plaque rouge. Il
n'avait pas menti, le chevalier Des Touches ! Il
venait de changer ce riant et calme *Moulin bleu* en
un effrayant moulin rouge. S'il existe encore, ce
moulin qui fut le théâtre du supplice d'un traître,
dont la trahison dut avoir des détails que nous
n'avons jamais sus, mais bien horribles pour
rendre un homme si implacable, on doit l'appel-

ler encore le *Moulin du Sang...* On ne sait plus probablement la main qui l'a versé ; on ne sait plus pourquoi il fut versé, ce sang qui tache ce mur sinistre, mais il doit y être, visible toujours, et il y parlera encore longtemps, dans un vague terrible, d'une chose affreuse qui se sera passée là, quand il n'y aura plus personne de vivant pour la raconter ! »

— C'était décidément un rude homme que la *Belle Hélène* ! fit pensivement l'abbé.

— Le rude homme, mon frère, n'était pas encore apaisé après cette vengeance et ce supplice, continua mademoiselle de Percy. Nous crûmes qu'il l'était... il nous détrompa quelques instants après. Nous quittâmes ensemble cette hauteur pour retourner, les uns à Touffedelys, les autres où ils voudraient, puisque nous avions réussi dans notre seconde expédition. C'étaient les derniers pas que nous faisions en troupe. Comme l'avait dit cet exact chevalier Des Touches, le soleil n'était pas encore tombé sur l'horizon. Déjà loin sur les routes d'en bas, moi, qui marchais à côté de Juste Le Breton, je me retournai et je jetai un dernier regard sur la hauteur abandonnée. Le soleil, qui rougissait comme s'il eût été humilié de se baisser vers la terre, envoyait comme un regard de sang à ce moulin de sang... Le vent qui venait de la mer, de cette mer qu'allait tout à l'heure reprendre Des Touches, faisait tourner plus vite dans le lointain les ailes de ce moulin à vent qui roulait dans l'air assombri son cadavre, quand je crus voir de son toit pointu se lever des colonnettes de fumée. Je le dis dans les rangs.

« — Il n'y a que le feu qui purifie, dit Des Touches.

« Et il nous apprit qu'il avait mis le feu dans l'intérieur du moulin, et le Chouan, qui ne défaillait jamais en lui, ajouta avec le joyeux accent de la guerre :

« — Ce sera de la farine de moins pour le dîner des patriotes !

« Le feu avait couvé depuis que nous étions partis, et quand la flamme s'élança de l'amoncellement de fumée qui s'était fait tout à coup sur la hauteur et qui l'avait cachée :

« — On allume des cierges pour les morts, dit Des Touches, voici le mien pour *M. Jacques* ! Cette nuit dans les brumes de la Manche, j'aimerai à en suivre longtemps la lueur. »

CHAPITRE IX

HISTOIRE D'UNE ROUGEUR

— Cependant, après avoir marché quelque temps encore, continua toujours mademoiselle de Percy, nous arrivâmes à une étoile formée par plusieurs routes qui se croisaient et qui conduisaient aux différentes villes et bourgades de la contrée. C'était là qu'on devait se séparer, après la dernière poignée de main. Les uns prirent la route de Granville et d'Avranches, les autres s'en allèrent du côté de Vire et de Mortain. On convint de se réunir à Touffedelys, s'il devait y avoir bientôt une nouvelle levée d'armes. Des Touches prit, lui, la route qui menait directement à la côte. Juste Le Breton et moi fûmes les seuls d'entre les Douze qui restâmes jusqu'au dernier moment avec cet homme, l'objet pour nous d'un intérêt devenu tragique et d'une curiosité qui n'a jamais été entièrement satisfaite. Nous devions revenir à Touffedelys par les Mielles, comme on appelle ces grèves, et en suivant la mer et sa longue ligne sinueuse. Quand nous sortîmes des terres labourées pour entrer dans les sables, la nuit était tombée et la lune avait eu le temps de se lever. C'était le chevalier qui nous menait, comme quelqu'un qui sait où il va. Avec son expérience

de marin il connaissait, à une minute près, l'heure
de la marée qui devait le porter en Angleterre.
Nous avions pensé, sans avoir eu besoin de nous
le dire, qu'il avait à son commandement quelque
pêcheur dévoué sur cette côté écartée. Mais quel
ne fut pas notre étonnement, quand la dernière
dune que nous montâmes avec lui nous permit de
découvrir la mer, battant son plein, brillante et
calme, sur une ligne immense, mais profondément solitaire. Il n'y avait là ni un être vivant qui
attendît Des Touches, ni une barque, couchée à la
grève, qu'on pût mettre à flot, et qui pût l'emporter.

« — Ah ! dit-il presque joyeusement, aujour-
d'hui je suis, par Dieu ! bien sûr qu'il n'y a pas
d'espions dans la grève ! Depuis ma prison ils ont
pu dormir et ils n'ont pas encore eu la nouvelle de
ma délivrance, qui va les réveiller du péché de
paresse. Ils me croient guillotiné de ce matin, et
prennent *campos*, messieurs les gardes-côtes. »

— Quels veaux marins ! interrompit M. de
Fierdrap, qui, en sa qualité de grand pêcheur, ne
pouvait souffrir aucune surveillance maritime, de
quelque nature qu'elle pût être ; ils ont toujours
été les mêmes sous tous les régimes, ces soldats
amphibies ! Avant la Révolution il fallait, pour
obtenir la croix de Saint-Louis, si l'on n'avait pas
fait d'action d'éclat, vingt-cinq ans de service
comme officier ; mais, dans les gardes-côtes, il en
fallait cinquante. Cela les classait.

— Oui, dit mademoiselle Ursule, assez indifférente pour l'instant à l'honneur militaire, et qui
dit *oui* comme elle aurait dit *non* ; mais qu'ils
avaient donc un joli uniforme, avec leurs habits
blancs à retroussis vert de mer ! ajouta-t-elle rê-

veuse. Elle revoyait peut-être cet uniforme-là sur
quelque tournure qui lui avait plu dans sa jeunesse, et tout cela passait comme une mouette
dans une brume, au fond du brouillard gris de ses
pauvres petits souvenirs.

Mais mademoiselle de Percy se souciait bien
des rêves de mademoiselle Ursule et des haines
méprisantes du baron de Fierdrap ! elle passa
donc outre et reprit :

— Mais comment vous embarquerez-vous, chevalier ? lui dis-je, je ne vois pas une planche sur
cette grève, et vous n'avez pas le projet peut-être
d'aller de la côte de France à la côte d'Angleterre
à la nage ?

« — On pourrait y aller, me dit-il sérieusement.

« Qui sait s'il ne s'en sentait pas la force ?

« — Mais, mademoiselle, s'il n'y a pas de planches sur la grève, il y en a dessous.

« Alors nous connûmes la prudence et l'esprit
de ressource de cet homme né pour la guerre de
partisan. Il avait cette mémoire des lieux qui fait
le pilote, et il ne l'avait pas que sur la mer. Il
s'orienta sur le sol où nous étions, et tira de la
ceinture de sa jaquette une serpette, qu'il avait
prise dans le moulin sans doute, car les Bleus
n'auraient pas osé laisser à un pareil homme
seulement la pointe d'une lame de couteau, et il
se mit avec cette serpette à creuser le sable, comme
font les pêcheurs de lançon. »

— On ferait mieux de dire les chasseurs, interrompit M. de Fierdrap, sérieux comme un dogme.
Je n'ai jamais compris la pêche sans de l'eau.

— En quelques secondes, reprit la conteuse,
Des Touches eut déterré une bêche et dix minutes
après, il eut déterré son canot. C'est lui-même qui

l'avait ensablé à cette place lors de son dernier débarquement. C'était sa coutume, nous dit-il. Il ne se confiait jamais à personne.

« Obligé d'entrer dans les terres pour y porter à tel ou tel endroit les dépêches dont il était chargé, il ne pouvait laisser ce canot, qu'il avait fait lui-même, à un amarrage quelconque, où les gardes-côtes l'auraient surpris. Quand il l'eut déterré, il le porta à la mer, et pour cela il n'eut pas besoin de toute sa force. C'était une plume que ce canot. Il sauta sur cette plume, qui se mit à danser mollement sur la vague. Il était déjà redevenu *la Guêpe*, il allait redevenir *le Farfadet* !

« Il maintenait de sa rame, piquée dans le sol, la barque qui s'enlevait sur la vague comme un cheval ardent qui piaffe.

« — Adieu, mademoiselle, et vous aussi, monsieur Juste Le Breton ! nous dit-il debout, sur l'avant de sa barque, et il nous salua de la main.

« — Quand nous reverrons-nous ? et même nous reverrons-nous ? Les paysans sont las ; la guerre fléchit ; ne parlent-ils pas là-bas de pacification encore ?... Il faudrait qu'un des Princes vînt ici pour tout rallumer... et il n'en viendra pas ! ajouta-t-il avec une expression méprisante qui me fit mal, et que j'ai bien des fois rencontrée sur les lèvres de serviteurs, pourtant fidèles, — et elle jeta un regard de reproche à son frère. Je n'en amènerai pas un à cette côte, dans ce canot qui y apporta *M. Jacques*. Si cette guerre finit, que deviendrons-nous ? Du moins moi, qui ne suis propre qu'à la guerre. J'irai me faire tuer quelque part, et cette côte-ci n'entendra plus parler de Des Touches !

« Nous lui renvoyâmes son adieu.

« — Il est temps de partir, fit-il, voici le reflux.

« Il cessa de maintenir la barque mobile sur le flux écumeux du bord, et d'un de ces nerveux coups de rame comme il savait en donner, il la fit monter sur cette mer qui le connaissait, et disparut entre deux vagues pour reparaître comme un oiseau marin, qui plonge en volant et se relève, en secouant ses ailes. C'était à se demander qui des deux reprenait l'autre, si c'était lui qui reprenait la mer ou si la mer le reprenait ! Nous le suivîmes des yeux par ce clair de lune, qui rendait les ondulations de l'eau lumineuses ; mais la houle, qu'il trouva quand il fut au large, finit par nous cacher cette espèce de pirogue de si peu de bois, qu'il montait ; ce mince canot presque fantastique ! *Le Farfadet* s'était évanoui... Nous nous dirigeâmes vers Touffedelys par les dunes ; il faisait superbe. J'ai vu rarement, dans ma vie de Chouanne à la belle étoile, une plus belle nuit. Nous entendions de moins en moins le bruit de la mer, qui s'éloignait et qui commençait à découvrir ses premières roches. Du côté des terres, tout était calme : la brise de la mer mourait à la grève, les arbres étaient immobiles. Sur la hauteur, dans le lointain bleuâtre, achevait de brûler, en silence et sans secours, le moulin à vent solitaire, que l'incendie avait mutilé et qui n'avait plus que trois ailes qui tournaient encore. Placées de manière à être atteintes les dernières par la flamme, elles avaient fini par s'enflammer. L'une d'elles avait brûlé plus vite que les autres, mais les trois autres avaient pris aussi, et elles flambaient, et, en tournant, leur roue faisait pleuvoir des étincelles, comme dans l'après-midi elle avait fait pleuvoir du sang. Quoiqu'il fût déjà loin en mer à cette heure, le terrible brûleur de ce moulin pouvait le voir se consumant dans cet air sans vent, avec sa flamme droite comme celle d'un flambeau, par cette nuit transparente, qui n'avait pas une vapeur, chose rare sur la Manche, cette mer verte comme un herbage, dont les brumes seraient la rosée. Je ne sais quelle tristesse me saisit, moi, la grosse rieuse. La femme, que j'avais sentie en moi, quand j'avais vu Des Touches si cruel, je la ressentis encore qui revenait sous mes habits de Chouan... La pitié m'inondait le cœur pour Aimée, à qui j'allais avoir à apprendre la mort de *M. Jacques*, cette mort que Des Touches avait vengée, ce qui ne la consolerait pas ! »

Mademoiselle de Percy s'arrêta de cette fois, comme quelqu'un qui a fini son histoire. Elle rejeta les ciseaux dont elle avait gesticulé dans les tapisseries, empilées avec leur laine sur le guéridon.

— Voilà, baron, dit-elle à M. de Fierdrap, cette histoire de l'enlèvement de Des Touches que mon frère vous avait promise.

— Et que vous avez fort bien *narrée*, ma chère Percy, fit mademoiselle Sainte qui, voulant être aimable, lui envoya de sa bouche innocente l'éloge cruel de ce mot déshonorant.

Mais le baron de Fierdrap, qui avait parlé si légèrement du chagrin d'Aimée, l'antisentimental pêcheur de dards qui ne se souciait guère de ceux de l'amour, disait l'abbé, quand il était en verve de calembredaines, le baron de Fierdrap était devenu tendre ; il était redevenu le baron Hylas, et il voulut qu'on lui parlât d'Aimée.

— Ce fut moi, lui dit donc mademoiselle de Percy, qui lui appris la mort de son fiancé. Elle pâlit comme si elle allait mourir elle-même et elle s'enferma pour cacher ses larmes. Chez Aimée, vous l'avez vu, baron, tout porte en dedans, et le dehors ne perd jamais son calme. La seule chose extérieure de ce chagrin, renfermé dans son cœur, comme une relique dans une châsse scellée, fut la funèbre fantaisie de faire déterrer celui qu'elle appelait son mari, du pied du buisson où nous l'avions couché, et de le rouler dans cette robe de noces qu'elle avait portée un seul soir et qu'elle lui tailla en linceul.

« Plus tard, lorsque les prêtres furent revenus et les églises rouvertes, pieuse comme elle est, ne pouvant supporter l'idée de ne pas reposer un jour près de lui, elle le fit transporter en terre sainte. Tout cela eut lieu, baron, sans éclat, sans retentissement, pour l'apaisement de son cœur, dont elle couvre le navrement sous des sourires qui entrouvriraient le ciel à des malheureux moins malheureux qu'elle. Quand, au milieu de son désespoir et de cette pâleur qu'elle a gardée toujours depuis cette époque, car elle n'a jamais repris entièrement cet incarnat de cœur rose-mousse entrouverte qui la faisait la rose reine des roses de Valognes, où la moindre des filles des rues éblouit de fraîcheur, quand on lui apprit que Des Touches était sauvé, elle eut encore ce coup de soleil inexplicable qui la faisait devenir une statue de corail vivant.

« Et inexplicable elle est restée, monsieur de Fierdrap, cette rougeur inouïe ! Les années sont venues, le temps a marché, la vie n'est plus pour elle qu'un grand silence dans une seule pensée ; la surdité, l'isolante surdité, a bâti son mur entre elle et les autres, et l'a *renfermée dans sa tour*, comme elle dit. Eh bien, que le nom de Des Touches, dont on parle bien peu maintenant, soit dit par hasard devant elle, et que ce jour-là soit aussi un jour où elle entende, la rougeur reparaîtra brûlante sur ces tempes d'une pureté de fille morte vierge, et où les cheveux blancs, si elle n'était pas blonde, auraient commencé à glisser leurs pointes argentées. C'est incroyable, baron, mais cela est. Tenez, je ne voudrais jamais lui faire volontairement la moindre peine, à cette noble fille, mais si je n'étais pas retenue par cette crainte, et que, me levant de ma place, j'allasse jusqu'à elle qui travaille à son feston sous cette lampe depuis trois heures sans avoir entendu un seul mot de ce que nous avons dit, et que je lui criasse à l'oreille : « Aimée, le chevalier Des Touches n'est pas mort ! L'abbé vient de le rencontrer sur la place ! » parions, baron, que la rougeur, l'inexplicable rougeur reparaîtrait sur le visage de la fiancée de *M. Jacques*, qui n'a jamais aimé que lui... »

— Je ne dis pas non, dit l'abbé profondément. Cela est sûr qu'elle aimait *M. Jacques*. Mais qui sait, fit-il en baissant la voix, précaution inutile pour elle, mais comme s'il avait craint pour lui-même ce qu'il disait... si, par impossible, elle n'était pas aussi pure...

... Et il s'arrêta, n'osant pas achever, ayant, cet abbé grand seigneur, non plus peur seulement de sa parole, mais de sa pensée.

— Oh ! mon frère ! dit mademoiselle de Percy avec un cri mélangé du sentiment de l'horreur et de l'impossibilité de la chose, en frappant le parquet d'un pied de reine Berthe, indigné...

Et les deux Touffedelys elles-mêmes devenues

des sensitives, car la bêtise a parfois de ces moments-là où elle devient sensible, avaient reculé leurs fauteuils avec une énergie de croupe vertueuse, qui disait combien la pensée de l'abbé les scandalisait.

L'abbé n'acheva pas... Il en avait assez dit. Le prêtre est toujours le plus profond des moralistes. Le regard, aiguisé par la confession, va toujours plus avant que celui des autres hommes. Le Zahuri, dit-on, voit le cadavre à travers les gazons qui le couvrent. Le prêtre, c'est le Zahuri de nos cœurs.

Il regarda le baron de Fierdrap, qui cligna, mais qui, lui aussi, n'ajouta pas une syllabe. Ce fut un point d'orgue singulier. Le tonneau de Bacchus sonna deux heures. Les chiens de M. Mesnilhouseau ne hurlaient plus. Le silence, que ne fouettait plus la pluie, s'entassait au-dehors et tombait dans ce salon, dont le feu était éteint et dont le grillon, cette cigale de l'âtre, que mademoiselle Sainte appelait un *criquet*, s'était endormi.

— Tiens ! dit le baron de Fierdrap, je n'ai pas pris mon thé, de toute cette histoire !

Il ouvrit sa théière et y plongea son nez. L'eau, à force de bouillir, s'était évaporée.

— Image de tout ! fit l'abbé très grave. Allons-nous-en, Fierdrap ! laissons ces demoiselles se coucher. Nous avons fait une vraie débauche de causerie, ce soir.

— Il n'est pas tous les jours fête, dit le baron. Seulement, j'ai une diable d'envie d'être à demain. Puisque tu es sûr de l'avoir vu ce soir sur la place des Capucins, nous aurons peut-être demain des nouvelles du chevalier Des Touches.

Et ils s'en allèrent, mademoiselle de Percy ayant englouti sa vaste personne et son baril oriental sous son coqueluchon de tiretaine. L'abbé, qui avait plus raison que jamais de l'appeler « son gendarme », lui prit le bras d'autorité, et lui chantonna à demi-voix, en traînant ses sabots par les rues, les premières paroles d'une chanson qu'il avait faite, un jour, pour elle :

> Je connais un militaire
> Qui va disant son bréviaire
> Et qui, dans son régiment,
> N'a qu'un soldat, seulement...
> C'est une fille un peu fière !
> Plan, r'lantanplan ! r'lantanplan, plan, plan !

Le baron avait allumé, comme l'abbé, sa lanterne, et tous les trois ils reconduisirent pompeusement jusqu'à son couvent mademoiselle Aimée, à laquelle, par déférence pour une telle pensionnaire, les Dames Bernardines avaient accordé la permission de rentrer tard. L'abbé, sa sœur et le baron étaient plus ou moins impressionnés par cette histoire d'un des héros de leur jeunesse, mais ils l'étaient moins à coup sûr qu'*une autre personne* qui était là, et dont je n'ai rien dit encore. Dans l'attention qu'ils donnaient à ce qu'ils disaient, ils l'avaient oubliée et j'ai fait comme eux... Cette autre personne n'était qu'un enfant, auquel ils n'avaient pas pris garde, tant ils étaient à leur histoire ! et lui, tranquille sur son tabouret, au coin de la cheminée, contre le marbre de laquelle il posait une tête bien prématurément pensive. Il avait environ treize ans, l'âge où, si vous êtes *sage*, on oublie de vous envoyer coucher dans les maisons où l'on vous aime ! Il l'avait été,

ce jour-là, par hasard peut-être, et il était resté
dans ce salon antique, regardant et gravant dans
sa jeune mémoire ces figures comme on n'en
voyait que rarement dans ce temps-là et comme
maintenant on n'en voit plus ! s'intéressant déjà à
ces types dans lesquels la bonhomie, la comédie et
le burlesque se mêlaient, avec tant de caractère, à
des sentiments hauts et grands ! Or, si elle vous a
intéressé, c'est bien heureux pour cette histoire,
car sans lui elle serait enterrée dans les cendres du
foyer éteint des demoiselles de Touffedelys, dont
la famille n'existe plus et dont la maison de la rue
des Carmélites, à ces cousines de Tourville, est
habitée par des Anglaises en *passage* à Valognes ;
et personne au monde n'aurait pu vous la raconter et vous la finir ! puisque, vous venez de le voir,
cette histoire n'était pas finie ! Mademoiselle de
Percy ne l'avait pas achevée, et elle ne l'acheva
jamais. Elle en était restée à cette rougeur sur
laquelle l'abbé avait mis avec un seul mot une
lumière qui avait révolté sa sœur. Mademoiselle
de Percy avait foi en Aimée, et les sentiments de
cette âme robuste ne chancelaient point. Aimée de
Spens garda son secret, et mademoiselle de Percy
garda son respect pour Aimée. Elle mourut, la
croyant la Vierge-Veuve, comme elle l'appelait,
digne d'entrer au ciel avec deux palmes, les deux
palmes des deux sacrifices accomplis ! L'abbé, qui
avait le tact d'un grand esprit, ne fit jamais une
réflexion et ne parla jamais du chevalier Des
Touches à mademoiselle de Spens, qui, ayant
perdu les Touffedelys après mademoiselle de
Percy, se cloîtra sans prendre le voile et ne sortit
plus de son couvent.

Mais l'enfant dont j'ai parlé grandit, et la vie, la

vie passionnée avec ses distractions furieuses et les
horribles dégoûts qui les suivent, ne put jamais lui
faire oublier cette impression d'enfance, cette
histoire faite, comme un thyrse, de deux récits
entrelacés, l'un si fier et l'autre si triste ! et tous les
deux, comme tout ce qui est beau sur la terre et
qui périt sans avoir dit son dernier mot, n'ayant
pas eu de dénouement ! Qu'était devenu le chevalier Des Touches ?... Le lendemain, sur lequel le
baron de Fierdrap comptait pour avoir de ses
nouvelles, n'en donna point. Nul dans Valognes
n'avait connaissance du chevalier Des Touches, et
cependant l'abbé n'était pas un rêveur qui voyait à
son coude ses rêves comme mesdemoiselles de
Touffedelys et Couyart. Il avait vu Des Touches.
C'était donc une réalité. Il était donc passé par
Valognes, mais il était passé... D'un autre côté,
quelle était dans la vie de cette belle et pure
Aimée de Spens cet autre mystère qui s'appelait
aussi Des Touches ?... Deux questions suspendues
éternellement au-dessus de deux images, et auxquelles, après plus de vingt années, vaincue par
l'acharnement du souvenir, la circonstance répondit ! Qui sait ? A force de penser à une chose,
on crée peut-être le hasard.

Le hasard m'apprit en effet, parce que je
n'avais jamais cessé de penser à cet homme et de
m'informer de son destin, qu'il vivait... et que
mon grand abbé de Percy ne s'était pas trompé
quand il l'avait vu et qu'il l'avait pris pour un fou.
De Valognes, qu'il avait traversé, comme le roi
Lear, par la pluie et par la tempête, revenant
d'Angleterre, échappé à ceux qui le gardaient et
le ramenaient dans son pays, il était allé tomber
dans une famille qu'il avait épouvantée de la folie

furieuse dont il était transporté. L'ambition tra-
hie, les services méconnus, la cruauté du sort, qui
prend parfois les mains les plus aimées pour nous
frapper, tout cela avait fait de cet homme, froid
comme Claverhouse, un fou à camisole de force,
dont la vigueur irrésistible offrait le danger d'un
fléau. On l'avait ténébreusement interné dans
une maison de fous, où il vivait depuis plus de
vingt ans. Je sus tout cela peu à peu, par lam-
beaux, comme on apprend les choses qu'on vous
cache, mais quand je le sus, je me jurai de me
donner la vue de cet homme, qu'une femme, qui
l'avait connu, avait mis sa force d'impression à me
peindre comme me l'eût peint un poète. L'état
dans lequel je trouverais cet homme héroïque,
mort tout entier et pourrissant dans le plus affreux des sépulcres : une maison de fous ! était
une raison de plus pour m'en donner le spectacle.
C'est si bon de tremper son cœur dans le mépris
des choses humaines, et entre toutes, de la gloire
qui gasconne avec ceux qui se fient à elle et qui
croient qu'elle ne peut tromper !

Il fut donc un jour où je pus le voir, ce
chevalier Des Touches, et raccorder dans ma
pensée sa forme jeune, svelte et terrible, comme
celle de Persée qui coupe la tête à la Gorgone, et
la figure d'un vieillard, dégradé par l'âge, la folie,
tous les écrasements de la destinée. Ce que je fis
pour cela est inutile à dire, mais je pus le voir... Je
le trouvai assis sur une pierre, car depuis longtemps il n'était plus fou à lier, dans une cour
carrée, très propre et très blanche, avec des
arceaux à l'entour. Depuis qu'*il n'était plus méchant*, on l'avait retiré des cabanons et on le laissait
vaguer dans cette cour, où des paons tournaient

autour d'un bassin, bordé de plates-bandes qui
étalaient des nappes de fleurs rouges. Il les
regardait, ces fleurs rouges, avec ses yeux d'un
bleu de mer, vides de tout, excepté d'une flamme
qui brûlait là sans pensée, comme un feu abandonné où personne ne se chauffe plus. La beauté
de la *Belle Hélène*, de cet homme qui avait été plus
célestement beau que la belle Aimée, avait dit
mademoiselle de Percy, était détruite, radicale-
ment détruite, mais non sa force. Il était encore
vigoureux, malgré l'épuisement de vingt ans de
folie, qui auraient consumé tout homme moins
robuste. Il était vêtu tout en molleton bleu, avec
des boutons d'os, et un foulard de jersey au cou,
comme un matelot, et c'était bien cela ; il avait
l'air d'un vieux matelot, qui attend à terre et qui
s'y ennuie. Le médecin me dit que l'âge venant et
les furies ayant été remplacées par de la démence,
le désordre le plus profond et le plus irrémé-
diable s'était fait dans ses facultés ; qu'il se
croyait gouverneur de ville, âgé de deux mille
ans, et que certainement je n'en tirerais pas un
éclair de lucidité. Mais je n'y allai point par
quatre chemins, et, d'emblée, je lui dis brusquement :

— C'est donc vous, chevalier Des Touches !

Il se leva de son arceau, comme si je l'eusse
appelé, et m'ôtant sa casquette de cuir verni, il me
montra un crâne chauve et lisse, comme une bille
de billard...

— C'est singulier, dit le docteur, je n'aurais
jamais pensé qu'il eût répondu à son nom, tant il
a perdu la mémoire !

Mais moi que ceci animait :

— Vous souvenez-vous, lui dis-je à bout portant,

de votre enlèvement de Coutances, monsieur Des Touches ?...

Il regardait dans l'air comme s'il y voyait quelque chose...

— Oui, dit-il, cherchant un peu. Coutances ! et, ajouta-t-il sans chercher, et le juge qui m'a condamné à mort, le coquin de... !

Il le nomma. C'était encore un nom porté dans la contrée, et son œil bleu de mer darda un rayon de phosphore et de haine implacable !

— Et d'Aimée de Spens, vous en souvenez-vous ? fis-je encore coup sur coup, craignant que le fou ne revînt, et voulant frapper de ce dernier souvenir sur le timbre muet de cette mémoire usée qu'il fallait réveiller !

Il tressaillit.

— Oui, encore aussi ! fit-il, et ses yeux avaient comme un afflux de pensées. Aimée de Spens, qui m'a sauvé la vie ! La belle Aimée !

Ah ! je tenais peut-être l'histoire que mademoiselle de Percy n'avait pas finie !... Et cette idée me donna la volonté magnétique qui dompte une minute les fous et les fait obéir.

— Et comment s'y prit-elle pour cela, monsieur Des Touches ? Allons, dites !

— Oh ! dit-il (je lui avais enfin passé mon âme dans la poitrine, à force de volonté !), nous étions seuls à Bois-Frelon, vous savez ?... près d'Avranches... Tout le monde parti... Les Bleus vinrent comme ils venaient souvent, à petits pas... Ils cernèrent la maison... C'était le soir. Je me serais bien fait tuer, risquant tout, tirant par les fenêtres comme à la Faux, mais j'avais mes dépêches. Elles me brûlaient... Frotté attendait. Ils l'ont tué, Frotté, n'est-ce pas vrai ?...

Je tremblai que l'idée de Frotté ne l'entraînât trop loin de ce que je voulais qu'il me dît.

— Tué, fusillé ! lui dis-je. Mais Aimée !

Et je lui secouai durement le bras !

— Ah ! reprit-il, elle pria Dieu... entrouvrit les rideaux pour qu'ils la vissent bien... C'était l'heure de se coucher... Elle se déshabilla. Elle se mit toute nue. Ils n'auraient jamais cru qu'un homme était là, et ils s'en allèrent ! Ils l'avaient vue... Moi aussi... Elle était bien belle... rouge comme les fleurs que voilà ! dit-il désignant les fleurs du parterre.

Et son œil redevint vide et atone, et il se remit à divaguer.

Mais je ne craignais plus sa folie. Je tenais mon histoire ! Ce peu de mots me suffisait. Je reconstituais tout. J'étais un Cuvier ! Il était donc vrai, l'abbé avait tort. Sa sœur avait raison. La veuve de *M. Jacques* était toujours la Vierge-Veuve. Aimée était pure comme un lis ! Seulement elle avait sauvé la vie à Des Touches, comme jamais femme ne l'avait sauvée à personne... Elle la lui avait sauvée, en outrageant elle-même sa pudeur. Quand, à travers la fenêtre, les Bleus virent, du dehors où ils étaient embusqués, cette chaste femme qui allait dormir et qui ôtait, un à un, ses voiles, comme si elle avait été sous l'œil seul de Dieu, ils n'eurent plus de doute. Personne ne pouvait être là, et ils étaient partis ; Des Touches était sauvé ! Des Touches qui, lui aussi, l'avait vue, comme les Bleus... qui, jeune alors, n'avait peut-être pas eu la force de fermer les yeux pour ne pas voir la beauté de cette fille sublime, qui sacrifiait pour le sauver le velouté immaculé des fleurs de son âme et la divinité de sa pudeur ! Prise entre cette pudeur si délicate et si fière et cette pitié qui fait qu'on veut sauver un homme, elle avait hésité... Oh ! elle avait hésité, mais, enfin, elle avait pris dans sa main pure ce verre de honte et elle l'avait bu. Mademoiselle de Sombreuil n'avait bu qu'un verre de sang pour sauver son père ! Depuis, peut-être, Aimée avait souffert autant qu'elle. Ces rougeurs, quand Des Touches était là, et qui la couvraient tout entière à son nom seul, qui ne l'avaient jamais inondée d'un flot plus vermeil que le jour où mademoiselle de Percy avait dit, sans le savoir, le mot qui lui rappelait le malheur de sa vie : « *Des Touches sera votre témoin !* » ces rougeurs étaient le signe, toujours prêt à reparaître, d'un supplice qui durait toujours dans sa pensée, et qui, à chaque fois que le sang offensé la teignait de son offense, rendait son sacrifice plus beau !

J'avoue que je m'en allai de cette maison de fous, ne pensant plus qu'à Aimée de Spens. J'avais presque oublié Des Touches... Avant de sortir de sa cour, je me retournai pour le voir... Il s'était rassis sous son arceau, et, de cet œil qui avait percé la brume, la distance, la vague, le rang ennemi, la fumée du combat, il ne regardait plus que ces fleurs rouges auxquelles il venait de comparer Aimée, et, dans l'abstraction de sa démence, peut-être ne les voyait-il pas...

Achevé d'imprimer en janvier 1986
sur les presses de l'Imprimerie Brodard et Taupin
à La Flèche (Sarthe)

RELIURE DESSINÉE
PAR JEAN-MICHEL FOLON

Ce livre ne peut être vendu séparément
du fascicule Barbey d'Aurevilly de « Grands Ecrivains »

ISBN 2-85018-485-3

N° d'impression : 1256-5
Dépôt légal : janvier 1986
Imprimé en France